Chères lectrices,

C'est à peine si nous l'avons vue venir, cette rentrée, tant nous étions absorbées par les vacances ! Pourtant, certains signes auraient dû nous mettre sur la voie : les grands magasins qui, dès le mois d'août, commencent à arborer des vêtements aux couleurs automnales ; les arbres dont le feuillage se met à roussir ; le temps qui devient plus incertain…

En dépit de cela, nous avons préféré faire comme si de rien n'était, nous habillant coûte que coûte en petites robes légères, prolongeant ainsi l'illusion de vacances éternelles !

Ces derniers jours, pourtant, impossible de le nier : la rentrée s'est bel et bien installée. D'ailleurs, finalement, n'est-ce pas pour le mieux ? L'oisiveté a du bon, mais nous finissions par nous en lasser. L'esprit léger, bien reposées, joliment dorées par le soleil, ne sommes-nous pas dans les meilleures conditions pour attaquer le tourbillon de ce mois de septembre ? Et puis, que les plus récalcitrantes d'entre nous se rassurent : les prochaines vacances ne sont pas si loin…

D'ici là, je vous souhaite une bonne rentrée et une excellente lecture !

ection

Tendre captive

SARAH MORGAN

Tendre captive

COLLECTION AZUR

*éditions*Harlequin

*Cet ouvrage a été publié en langue anglaise
sous le titre :*
IN THE SHEIKH'S MARRIAGE BED

Traduction française de
ANNE DAUTUN

HARLEQUIN®

est une marque déposée du Groupe Harlequin
et Azur ® est une marque déposée d'Harlequin S.A.

*Toute représentation ou reproduction, par quelque procédé que ce soit, constituerait
une contrefaçon sanctionnée par les articles 425 et suivants du Code pénal.*
© 2004, Sarah Morgan. © 2005, Traduction française : Harlequin S.A.
83-85, boulevard Vincent-Auriol, 75013 PARIS — Tél. : 01 42 16 63 63
Service Lectrices — Tél. : 01 45 82 47 47
ISBN 2-280-20430-4 — ISSN 0993-4448

Prologue

— Vos ordres ont été exécutés, Votre Altesse. La dette envers votre peuple a été intégralement payée.

Par la haute fenêtre de son bureau, Zak regardait son étalon arabe favori provoquer un beau remue-ménage dans la cour. Se retournant vers Sharif — l'homme qui était son plus fidèle conseiller depuis près de vingt ans —, il posa sur lui un regard flamboyant de colère.

— Intégralement, non, assena-t-il. La dette contractée à mon encontre court encore. A-t-on dûment averti l'Anglais ?

— Oui, Votre Altesse, conformément à vos instructions...

— Peter Kingston sera-t-il au rendez-vous ?

— Selon les informations que j'ai reçues, Votre Altesse, il a chargé sa sœur de venir à sa place, répondit Sharif.

Il ne put réprimer un léger mouvement de recul en voyant passer un éclair de fureur dans les sombres prunelles de son prince.

« L'Anglais se dérobe à ses responsabilités, une fois de plus. En refusant de se rendre à Kazban, il évite d'avoir à rendre compte de ses actions ! », songea Zak. Il fit jouer les muscles de ses épaules pour soulager sa tension croissante. Parfois, il regrettait que son pays eût des lois progressistes.

Il ne lui aurait pas déplu de revenir aux mœurs antiques de sa tribu, et d'infliger à Peter Kingston le châtiment qu'il méritait !

— Etant donné la nature du rendez-vous, sa décision est plutôt surprenante, observa Sharif. Quel homme est-il donc, pour confier à une femme le soin de lutter à sa place ?

— C'est un lâche ! Mais cela, nous le savions déjà. Il n'y a donc pas lieu d'être surpris qu'il sacrifie un membre de sa propre famille pour sauver sa peau. J'espère qu'elle a des armes pour combattre ! Il l'envoie tout droit dans la fosse aux lions !

Sharif s'éclaircit la gorge avant de risquer :

— Il espère sans doute que vous ferez preuve de clémence envers elle.

Zak lâcha un rire amer. Si Peter Kingston avait connu son passé, il n'aurait pas commis une erreur aussi grossière ! Les sentiments du prince de Kazban envers le sexe féminin n'avaient rien de doux ni d'indulgent. Très tôt, la vie lui avait appris que les femmes étaient des manipulatrices égoïstes, et il ne leur réservait que ce qu'elles méritaient : un mépris cynique.

— Cet homme n'est qu'un vulgaire voleur, même s'il ne manque pas d'astuce. Il a dérobé les économies de braves gens qui travaillent dur. Il se peut qu'on tolère ce genre de comportement dans son pays, mais nous ne sommes pas si stupides ! Pour ma part, je ne me sens nullement enclin à me montrer clément !

— Ses actes auraient fait grand tort à beaucoup de gens, si vous ne vous étiez pas montré si généreux, Votre Altesse. Il conviendrait d'informer votre peuple que c'est grâce à votre…

— Peu importe ! coupa Zak.

Il se mit à arpenter son bureau, foulant d'un pas coléreux le magnifique tapis qui recouvrait le sol.

— Ce qui compte, c'est de dissuader les éventuels imitateurs de Peter Kingston. Il est clair qu'il s'attendait à des représailles, et c'est pourquoi il se dérobe au rendez-vous. Cet homme est malhonnête et en plus, il n'a pas le cran d'assumer ses actes ! déclara Zak d'un ton empreint de mépris. J'entends le châtier comme il convient ! Il s'agit de faire un exemple !

Prenant une profonde inspiration, Sharif s'aventura à dire :

— Il fait preuve d'habileté en vous envoyant sa sœur, Votre Altesse. Nul n'ignore que... vous appréciez la compagnie des femmes.

— Uniquement au lit, lâcha Zak, jetant un regard aigu en direction de son fidèle conseiller. Elles n'ont aucune autre place dans ma vie.

Plus jamais il ne ferait confiance à une femme !

— Pourtant, reprit doucement Sharif, votre père tient à vous voir marié.

Zak serra les mâchoires, lâchant avec froideur :

— Je n'ignore pas les souhaits de mon père.

Sharif ne put retenir un soupir.

— Vous direz sans doute que j'outrepasse mes prérogatives, mais je vous connais depuis votre plus tendre enfance, et je suis triste de vous savoir seul. Vous devriez être entouré d'une famille.

— Comme vous l'avez observé fort justement, vous outrepassez vos prérogatives, déclara Zak, toujours glacial.

Mais il posa sur le vieil homme un regard radouci. Sharif était un homme sûr. Il n'aurait pas hésité à lui confier sa propre vie.

— Ne vous attendrissez pas trop, Sharif. Si je suis seul, c'est que je l'ai voulu ainsi. Mais je sais que mon célibat n'enchante pas mon père.

Zak était conscient d'avoir à régler la situation. Néanmoins, il n'épouserait certes pas celle que lui destinait son père ! Le moment venu — qui ne se rapprochait que trop vite ! —, il désignerait lui-même celle qui serait son épouse. Et les sentiments n'entreraient pour rien dans son choix !

— Pour en revenir à miss Kingston…, reprit-il

— Son frère est persuadé que vous ne ferez jamais de mal à une femme, j'en suis sûr, intervint Sharif.

Un lent sourire se dessina sur le beau visage de Zak, mais il n'était empreint d'aucun amusement. Et lorsqu'il éleva la voix, ce fut pour dire avec une inquiétante douceur :

— Il existe plusieurs sortes de souffrance, Sharif.

Il y avait la douleur de l'amour, et la souffrance aiguë due à la trahison.

— Nous savons l'un et l'autre, continua-t-il, qu'une parente de Peter Kingston ne saurait être un parangon de vertu ! Il a choisi d'envoyer une femme au combat en s'imaginant que je n'aurai pas le cran de m'opposer à elle. Eh bien, il va être déçu !

Il tendit la main vers l'épée de cérémonie qui gisait sur son bureau, et il la souleva, refermant ses doigts sur le manche richement ciselé, soupesant l'arme rassurante et familière. Des émotions violentes le traversèrent, menaçant de lui faire perdre son légendaire sang-froid.

La trahison…

Il mania l'arme d'un mouvement vif et athlétique, et la lame acérée fendit l'air avec une précision létale.

Malgré lui, Sharif recula d'un pas. Comme tout le monde à Kazban, il savait que le prince avait pour l'escrime une prédilection particulière, et qu'il maniait l'épée en expert.

« Espérons que la sœur de Peter Kingston a le caractère bien trempé », songea-t-il avec un inexplicable élan de sympathie pour cette inconnue. Il contempla le prince, qui reposait l'épée sur son bureau avec une expression implacable. Si Peter Kingston avait voulu se faire un ennemi, il y avait réussi ! Mais il avait commis une lourde erreur, en confiant ce rôle au cheikh Zakour al-Farisi, prince héritier de Kazban. Une erreur capitale !

1.

— Son Altesse va vous recevoir, miss Kingston. Veuillez vous tenir debout pendant toute la durée de l'entretien, et ne parler que lorsque l'on s'adressera à vous, dit en s'inclinant légèrement l'homme au visage sévère, vêtu d'une ample tunique. Son Altesse est très occupée. Pour votre propre sauvegarde, veillez à ne pas lui faire perdre son temps.

Emily déglutit avec difficulté. Soudain, elle n'était plus très sûre d'avoir agi avec bon sens, en offrant de prendre la place de son frère ! Elle avait voulu aider Peter, pour une fois, au lieu d'être toujours la petite sœur sur qui l'on veille. Il avait tant fait pour elle.

Et puis, elle avait pensé qu'il serait excitant de passer quelques jours à Kazban. Enfin un peu d'aventure ! Cela la changerait de sa vie tranquille, ennuyeuse et trop protégée...

A présent, pourtant, elle se demandait si elle était capable de mener à bien sa mission. Elle se demandait même si sa venue en ces lieux n'allait pas nuire à Peter au lieu d'améliorer sa situation ! Car le prince Zakour al-Farisi ne pourrait guère être enchanté de ce qu'elle avait à lui dire...

Peter devait de l'argent au prince, et c'était la raison pour laquelle celui-ci avait exigé ce rendez-vous. Or, pour le moment, son frère était dans l'incapacité d'honorer sa dette.

— Emily, si je me rends là-bas, ils me jetteront en prison, avait-il révélé.

Sur le moment, elle avait pensé que Peter exagérait. L'Etat de Kazban ne pouvait tout de même pas avoir des pratiques aussi brutales, n'est-ce pas ? Elle avait trouvé raisonnable et sensé de partir pour Kazban afin d'implorer, au nom de Peter, un délai supplémentaire. Mais cela, c'était lorsqu'elle était encore en Angleterre ! Maintenant qu'elle était sur place, sa certitude était singulièrement ébranlée... Et l'expression sévère de l'émissaire du prince n'était pas faite pour lui donner un quelconque espoir !

Luttant pour conserver son sang-froid, elle se leva et suivit son guide, en s'efforçant d'oublier les quelques informations qu'elle possédait sur le prince héritier de Kazban. Soit, Zakour al-Farisi était doté d'une brillante intelligence, collectionnait les femmes, et avait la réputation de posséder un bloc de glace à la place du cœur. Et après ? En quoi cela la concernait-il ? Il lui était bien égal que la moitié des femmes de la planète fussent, à ce qu'on prétendait, amoureuses de lui ! Elle était venue délivrer le message de son frère, et rien d'autre. Sa tâche accomplie, elle partirait.

Oui, mais... saurait-elle trouver les mots qu'il fallait ?

Il était bel et bon de rêver d'aventure, mais la réalité, c'est qu'elle était enseignante de maternelle. Elle apprenait à lire à des gamins de cinq ans, et veillait sur leurs jeux. Cela ne la rendait en rien compétente pour traiter avec un prince qui négociait des contrats de plusieurs millions de dollars ! Peter était fou de l'avoir laissée venir à sa place !

Ou alors, il était... aux abois.

Elle ne pouvait se déprendre du sentiment que son frère avait de graves ennuis. Quand elle l'avait interrogé sur sa dette, il avait prétendu qu'il souffrait d'un manque passager de liquidités, et que sa situation ne tarderait pas à se rétablir. Elle n'avait pas à s'inquiéter, avait-il assuré. Mais n'avait-il pas toujours cherché à la protéger ? pensat-elle, regrettant de ne pas l'avoir questionné avec plus d'insistance…

Le cœur battant, elle suivit son guide dans un interminable couloir dallé de marbre, en s'efforçant de ne pas se laisser intimider par la splendeur exotique du Palais d'Or de Kazban. En d'autres circonstances, elle aurait voulu connaître l'histoire, fascinante sans doute, de ces antiques lieux. Mais la présence des gardes armés en faction devant chaque porte mettaient un frein à sa curiosité.

« Ils contrôlent le parcours parce que je suis dans la demeure royale. Cela ne me concerne pas personnellement », se dit-elle pour se rassurer, en évitant de porter les yeux sur les fusils et les épées des hommes d'armes. Elle n'avait aucune raison de se sentir mal à l'aise, n'est-ce pas ? Puisqu'elle n'était qu'une messagère, et rien de plus ! Alors, pourquoi avait-elle envie de faire volte-face et de détaler à toutes jambes ?

L'homme qui était venu la chercher à son arrivée au palais avançait d'un pas rapide, et elle s'efforça de son mieux de rester dans son sillage.

— Pourriez-vous ralentir un peu l'allure, s'il vous plaît ? lui lança-t-elle. Je n'ai qu'une paire d'escarpins, et ils ne se prêtent guère à une épreuve de course. Je ne tiens pas à avoir une cheville foulée lorsque je verrai le prince.

Il se retourna vers elle en lui décochant un regard empreint de pitié, et Emily sentit le cœur lui manquer. Son instinct lui soufflait qu'elle avait pris une décision désastreuse en se rendant à Kazban ! Zakour al-Farisi était-il donc aussi implacable et dénué de cœur que le suggérait sa réputation ?

Son guide s'immobilisa devant une double porte ouverte, gardée elle aussi par des hommes en armes ; puis, lui ayant fait signe de l'imiter, il franchit le seuil. Alors, Emily fut submergée par sa peur.

— Vous savez, je ne suis pas sûre que cette entrevue s'impose, balbutia-t-elle. C'est mon frère qui devrait être ici, et si le prince est très occupé, il vaudrait peut-être mieux que je reparte en Ang…

Elle s'interrompit brusquement tandis que l'homme, ayant traversé l'antichambre, la poussait dans une deuxième et immense salle.

Elle regarda autour d'elle avec un émerveillement mêlé de stupeur. Les lieux étaient véritablement magnifiques. La lumière du jour qui tombait par les hautes croisées, venait brillamment éclairer la superbe tapisserie suspendue au mur le plus éloigné de la vaste salle, et qui représentait une course de chevaux. Emily la contempla, ravie par la finesse de l'ouvrage et la sensation de vie que dégageait l'ensemble. On avait presque l'impression d'entendre le grondement des sabots, les hennissements des animaux pris dans la fureur de la course…

Son regard, quittant la tapisserie, se posa sur les divans bas nichés dans un angle de la pièce, tendus de soie et ornés de coussins aux chatoyantes couleurs. Dans le coin opposé, il y avait un large bureau sculpté qui, de façon quelque peu incongrue, accueillait un équipement informatique. De toute évidence, la personne qui occupait ces lieux s'en servait comme d'un bureau.

Emily regretta de n'avoir pas choisi une autre toilette pour se rendre au palais. Sa robe en lin bleu était fraîche, mais elle n'était certes pas signée d'un couturier célèbre. Son salaire d'institutrice ne lui permettait pas d'acheter des tenues sophistiquées et, comme elle s'occupait de tout jeunes enfants, elle achetait des vêtements plus confortables qu'élégants.

Elle s'adressa une fois encore à son guide :

— Excusez-moi, mais quand vais-je rencontrer le prince ? S'il est réellement aussi pris, je devrais sans doute m'en aller...

« Je peux peut-être échapper à tout ceci, pensa-t-elle. Prévenir Peter que j'ai changé d'avis... » Mais, au lieu de lui répondre, l'homme tomba soudain à genoux sur le somptueux tapis tandis qu'elle le regardait faire avec stupéfaction.

— Vous souhaitez partir, miss Kingston ? lança une voix glaciale, derrière elle. Nous manquons donc à ce point d'hospitalité que vous voulez quitter notre pays aussitôt après votre arrivée ? A moins que votre désir de fuite ne procède d'un tout autre motif. ? Vous craignez peut-être d'être confrontée à vos péchés ?

— Mes péchés ? reprit-elle, pivotant sur elle-même pour affronter celui qui l'apostrophait ainsi.

Elle se retrouva face à un inconnu qui la dardait de son intense regard noir. Son cœur se mit à battre la chamade, son souffle devint court. Un trouble sensuel l'avait saisie, la rendant incapable de bouger ou de réfléchir. Ce fut seulement lorsque l'étranger avança vers elle qu'elle parvint à se ressaisir, et à échapper à cette étrange emprise.

Sans doute s'était-il trouvé dans la salle à son entrée, réalisa-t-elle. Mais elle avait été si captivée par la splendeur des lieux qu'elle ne l'avait pas remarqué.

« Comment ai-je pu ne pas le voir ? » se demanda-t-elle avec étonnement. Il dominait tout de son imposante présence, irradiant une autorité souveraine. Et si jamais un homme avait été conçu pour tenter les femmes, c'était bien celui-là !

Il portait un costume superbement coupé qui lui conférait une allure conventionnelle. Mais ce n'était qu'une première impression. En dépit de son apparente sophistication occidentale, elle ne l'aurait jamais pris pour un homme d'affaires. Si on lui avait demandé de choisir un décor digne de lui, elle l'aurait situé sur les mers, dans le rôle d'un pirate. Sur les mers… ou dans un désert, pensa-t-elle encore, se remémorant le caractère sauvage du paysage qu'elle avait entrevu en gagnant Kazban.

Tout, en lui, exprimait une virilité vibrante et sauvage : ses cheveux d'un noir de jais, son teint halé, la régularité parfaite de ses traits, la ligne hardie de son nez aristocratique, son athlétique carrure…

Surprise par sa propre réaction, elle tenta de se ressaisir. L'homme qui l'avait guidée jusque-là se remit debout et la fustigea d'un regard noir.

— Vous devriez vous incliner devant le prince, lui souffla-t-il d'un ton peu amène.

— Oui, bien sûr, je le ferai. Mais quand… ? Oh, Seigneur !

Elle se hâta de s'incliner, soucieuse de corriger son impair, et consciente que chacun de ses mouvements était soumis à l'implacable examen de Zakour al-Farisi.

Elle aurait dû deviner qu'il s'agissait de lui, bien sûr ! S'il était beaucoup plus jeune qu'elle ne s'y était attendue, la puissance qui se dégageait de son impressionnant physique, et son allure proprement royale l'indiquaient clairement.

— D-désolée…, balbutia-t-elle maladroitement, en s'inclinant une fois encore. Mais c'est en partie votre faute.

17

Vous n'êtes pas vêtu comme un prince, et vous ne vous êtes pas présenté.

L'homme qui l'avait conduite jusque-là laissa échapper un hoquet étouffé, à la fois alarmé et incrédule. Mais le prince ne cilla pas.

— Et comment suis-je censé me vêtir, miss Kingston ? s'enquit-il.

Elle frémit au son de sa voix grave et bien timbrée — troublée par son assurance d'homme accoutumé à susciter l'adoration des femmes.

— Eh bien…, co-comme un prince arabe, balbutia-t-elle sottement. Vous savez bien, les djellabas…

« Ce que je viens de dire est complètement stupide », pensa-t-elle. A en juger par son sourire sardonique, Zakour al-Farisi était du même avis !

— Vous vous attendiez à nous voir en tenue de théâtre ? dit-il d'un ton railleur. Vous vous croyez à un bal costumé ?

Sans attendre de réponse, il se tourna vers l'homme qui l'avait amenée, et avait suivi leur échange d'un air scandalisé, puis s'adressa à lui dans une langue qu'elle ne reconnut pas. Son guide se hâta ensuite de disparaître, non sans lui avoir adressé un regard apitoyé.

— Je… Veuillez pardonner ma méprise, Votre Altesse, murmura-t-elle, rouge de confusion.

— De mon côté, il n'y a nulle méprise, miss Kingston, dit-il.

Il gagna la fenêtre et regarda dans la cour, momentanément distrait par ce qui se passait en contrebas. Emily le contempla fixement.

Il était vraiment superbe à voir, pensa-t-elle. Ainsi, la moitié seulement des femmes de la planète étaient amoureuses de cet homme-là ! Les autres étaient donc aveugles ? Ou tout simplement… plus sensées ?

Emily prit soudain conscience d'être, pour la première fois de son existence trop paisible, confrontée à un réel danger. Effrayée par la violence de ses sentiments, elle espéra que l'homme auquel elle allait fatalement s'opposer n'avait pas le pouvoir de lire dans les esprits !

— Vous vous demandez sans doute pourquoi je suis ici…, commença-t-elle.

Le prince fit brusquement volte-face, la toisant d'un air glacial qui la fit frémir.

— Je ne vous ai pas invitée à parler.

Elle s'empourpra, confuse et consternée. Puis, se renfrognant légèrement, elle se dit que, tout prince qu'il fût, cela ne lui donnait pas le droit d'être désagréable !

Contemplant sa silhouette si bien découplée, elle se demanda pourquoi il éprouvait le besoin d'être escorté par des hommes armés. Il était la virilité incarnée !

— Approchez, lui ordonna-t-il d'un ton rude.

Elle se surprit à obéir à son injonction, fascinée par l'ascendant qu'il exerçait sur elle. Du haut de son mètre soixante-dix, elle était accoutumée à regarder dans les yeux la plupart des hommes et se désespérait d'être si grande. Mais elle devait renverser la tête en arrière pour affronter le regard de Zakour al-Farisi ! Pour la première fois de sa vie, elle se sentait féminine et vulnérable ; elle était domptée par la masculinité d'un membre du sexe fort…

— Bien, dit-il en la toisant avec arrogance. J'espère pour vous, miss Kingston, que vous allez rembourser la dette de votre frère.

Un je-ne-sais-quoi, dans son intonation, l'amena une fois de plus à regretter de n'être pas restée en Angleterre.

Je ne peux pas la rembourser aujourd'hui, énonça-t-elle, la bouche sèche.

— C'était pourtant le but de cette rencontre. Votre frère devait restituer l'argent qu'il doit.

Il avait parlé d'une voix douce et pourtant lourde de menace. « Je comprends qu'il ait la réputation d'un négociateur de première force », songea-t-elle, véritablement intimidée.

— Vous vous demandez sûrement pourquoi je remplace mon frère, commença-t-elle avec hésitation.

— Je ne suis pas stupide, miss Kingston. Je sais pertinemment pourquoi c'est vous qui êtes ici, et non lui.

Il l'observa sans dissimuler son approbation virile, et elle s'embrasa malgré elle. Il n'avait même pas besoin de parler pour la réduire à l'impuissance ! pensa-t-elle, éberluée, sentant ses jambes se dérober sous elle.

— Il m'a envoyée parce qu'il ne pouvait pas venir, murmura-t-elle, soudain désireuse de préciser ce fait, pour le cas où Zakour al-Farisi se serait imaginé... va savoir quoi !

— Je connais suffisamment bien votre langue pour faire la différence entre « ne pouvait pas » et « ne *voulait* pas », laissa-t-il tomber d'une voix traînante. Une seule chose m'intrigue : lequel de vos charmes — qui sont, je n'en doute pas, nombreux et variés — est-il censé apaiser ma colère et me faire oublier la dette contractée à mon égard ?

S'écartant de la fenêtre, il se rapprocha pour l'examiner, tournant autour d'elle comme si elle était un animal de foire. Il interrompit son manège pour élever une main vers son visage, le relevant par le menton pour mieux le voir.

— Le but de votre présence est de m'amener à annuler la dette, laissa-t-il tomber.

— Pas exactement..., affirma-t-elle, figée sur place par le contact de ses doigts. Disons plutôt la reporter.

— Avant de vous laisser vous enfoncer dans une situation irrémédiable, je dois vous avertir que je n'ai aucun goût pour la duplicité. Surtout chez une femme.

— Je ne cherche à tromper personne ! s'indigna Emily. Et je ne vous demande pas d'annuler la dette ! Uniquement d'accorder un délai à Peter. Il demande deux mois. Ensuite, il remboursera jusqu'au moindre centime. Il a donné sa parole.

— Cette même parole qu'il nous avait donnée à son arrivée à Kazban, pour nous convaincre de lui confier la gestion de certains investissements ?

Elle eut un coup au cœur. En réalité, son frère avait toujours refusé de parler affaires avec elle, et elle n'était pas en mesure d'affronter un interrogatoire poussé à ce sujet…

— Je ne suis pas au courant, reconnut-elle avec réticence. Ce que je sais, c'est qu'il demande deux mois.

— Et pourquoi les lui accorderais-je ?

Elle le dévisagea, démontée. Elle n'avait pas envisagé que le prince pût rejeter sa requête. Certes, Peter lui devait de l'argent. Mais la richesse de Zakour al-Farisi dépassait l'imagination. Deux malheureux mois de délai pour une petite dette, cela ne pouvait guère lui poser de problème ! Lui adressant un sourire hésitant, elle lâcha :

— Je suis sûre que vous êtes assez gentil pour…

— Dans ce cas, vous êtes fort mauvais juge, miss Kingston. Car je ne suis nullement gentil, lâcha-t-il d'une voix doucereuse. Cette description ne me correspond en rien.

Une sorte de tension électrique parcourut l'atmosphère. Soudain, de sa main encore libre, le prince ôta la pince qui retenait la chevelure d'Emily, d'un geste preste qu'elle n'aurait pu anticiper. Ses boucles blondes qu'elle avait soigneusement domptées en vue de cet entretien, se répandirent sur ses épaules comme une coulée d'or.

Elle porta sa main à ses cheveux d'un air désemparé, en s'exclamant :

— Pourquoi avez-vous fait cela ?

Posant un regard approbateur sur sa luxuriante chevelure, il répondit avec un sourire sardonique :

— Je vous ai déjà dit que je n'apprécie guère la duplicité. Vous vous présentez à moi dans une robe boutonnée jusqu'au cou et les cheveux ramassés en chignon, telle une jeune vierge effarouchée. Mais ce simulacre ne me dupe pas une seconde ! Votre frère vous a envoyée à moi à cause de vos charmes féminins. Alors, exhibez-les. C'est plus honnête.

Elle le dévisagea d'un air interdit. Il pensait que… Il suggérait… C'était insensé ! pensa-t-elle avec effarement.

— Vous vous méprenez du tout au tout…

— Cela m'étonnerait. Je dois même admettre que votre frère n'est pas aussi stupide que je le croyais, déclara Zak.

La relâchant soudain, il se remit à évoluer autour d'elle, la jaugeant du regard avec une sensualité embarrassante.

— Vous êtes très belle.

Momentanément détournée de ses préoccupations par cette surprenante déclaration, Emily le dévisagea d'un air interdit. « Belle, moi ? » s'étonna-t-elle, amenée à croire depuis son adolescence qu'elle était trop grande pour l'être. Zakour al-Farisi avait même dit : *très* belle… Confrontée pour la première fois à une approbation masculine sans fard, elle éprouva une sensation étrange, qui n'était pas désagréable… Elle vit alors passer une drôle d'expression dans les prunelles noires du prince. Surtout ne pas oublier que cet homme avait la réputation d'être insensible ! Elle s'écarta de lui, lissant ses cheveux d'une main tremblante. Puis, recouvrant enfin l'usage de la parole, elle déclara :

— Je ne vois pas ce que ma tenue vient faire là-dedans...

Zakour al-Farisi eut un sourire perturbant, et elle s'empourpra.

— Vraiment ? Pourtant, vous avez accepté de venir ici, Miss Kingston.

— Pour apporter le message de mon frère.

— C'est chose faite. Nous pouvons aller de l'avant.

— J'ignore ce que vous entendez par là, commença-t-elle, glaciale. Mais...

— Miss Kingston, coupa-t-il en faisant un pas vers elle et en l'enveloppant de son regard de braise, magnétique et dominateur, je dois vous avertir que je ne plaisante pas. Ni dans les affaires d'argent, ni dans les affaires d'alcôve.

Elle rougit, se demandant dans quelle catégorie il la situait.

— Ce n'est pas une plaisanterie ! s'insurgea-t-elle. Mais vous me mettez sur les nerfs, et vous êtes si inflexible sur cette question d'argent...

Elle se tut brusquement, réduite au silence par le regard de mépris qu'il lui jetait.

— Je ne suis pas enclin à la souplesse.

« Ni à la bonté », pensa Emily. De sa vie, jamais elle n'avait approché quelqu'un d'aussi intimidant ni d'aussi inabordable ! De plus, il se tenait si près d'elle qu'elle avait l'impression de se brûler à la chaleur de son corps viril !

— Mon frère s'excuse de n'avoir pu venir en personne, dit-elle avec quelque raideur. Il est débordé de travail, et j'ai accepté de venir à sa place pour fournir des explications.

Elle regretta tout à coup de n'avoir pas insisté auprès de Peter pour savoir ce qui l'empêchait de se rendre à Kazban, *exactement*. Avait-il su que le prince serait furieux ?

Zakour al-Farisi darda sur elle son regard noir, et elle sentit son cœur battre plus vite. Cet homme était peut-être dénué de sensibilité, mais il avait un sacré physique. En fait, il était beau à tomber, s'avoua-t-elle. On eût dit, tout à coup, qu'elle n'avait plus que des désirs torrides en tête...

« Mais que m'arrive-t-il ? » se demanda-t-elle. Elle n'avait jamais caressé de rêves érotiques ! Elle songeait au mariage, bien sûr, et à avoir des enfants — et bien entendu, cela impliquait des relations sexuelles ! Mais jamais au sexe à l'état brut ! Enfin, du moins, jusqu'à maintenant...

Il y avait, chez Zakour al-Farisi, quelque chose d'intensément sensuel qui la bouleversait. Elle regarda autour d'elle, s'attendant presque à voir surgir une nuée de femmes ensorcelées par son magnétisme animal, et une idée dérangeante surgit soudain dans son esprit : les princes arabes avaient-ils encore des harems ?

Captivée malgré elle, elle contempla le beau visage impénétrable de Zakour al-Farisi, en songeant follement : « S'il en a un, je veux bien en faire partie ! » Pour ajouter aussitôt : « Seigneur, non ! Pas du tout ! » D'une certaine façon, rien ne lui semblait plus effrayant que de se retrouver dans le lit de cet homme...

Rien ne lui semblait aussi... plus *excitant*.

— Je dois dire, reprit-il de sa voix caressante, que vous piquez ma curiosité. J'attends vos explications avec impatience.

Arrachée à ses fantasmes par ce sarcasme, Emily songea que la cohorte des femmes prête à rejoindre son harem devait être fort longue, et qu'elle n'était guère qualifiée pour prétendre y entrer. Son expérience, en matière de sexe, était plus réduite qu'un vieux parchemin !

— Je ne vois pas ce qu'il faudrait justifier, dit-elle, surprise par l'éclair de colère qui venait de jaillir dans les prunelles du prince. Peter m'a indiqué que ses placements ne rapportent pas très bien. Mais il pense que le marché va s'améliorer et, en attendant, il vous demande de bien vouloir lui accorder un délai.

— Nous avons déjà établi, miss Kingston, que je ne suis pas particulièrement gentil. Je ne lui accorderai aucun délai.

— Mais Peter n'est pour rien dans tout ça ! s'exclamat-elle, révoltée par ce manque de compréhension.

— Vraiment ? ironisa Zakour al-Farisi. Il n'est plus responsable de ses affaires ?

— Si, bien sûr, mais…

— Alors, pourquoi n'y est-il pour rien ?

Emily frémit sous son regard dur, et porta à son front une main tremblante. Elle sentait parfaitement que le prince lui tendait un piège, et qu'elle allait basculer dedans la tête la première. Elle n'avait aucune expérience des négociations.

— Il est toujours risqué d'investir de l'argent, s'aventura-t-elle à dire.

— Ah ? Vous êtes experte en la matière ? ironisa-t-il.

— N-non, bien sûr que non, balbutia-t-elle en s'empourprant. Je m'occupe de jeunes enfants. Mais Peter m'a dit que le rendement des investissements a baissé, et que ce genre de fluctuation peut se produire. Je vous en prie ! Accordez-lui encore un peu de temps. Rien que deux mois, c'est tout !

Elle quêta du regard l'indulgence du prince, avec un geste qui voulait signifier : « Je ne demande pas grand-chose. » Il continua à la contempler d'un air implacable.

— C'est tout ? reprit-il. Mais en deux mois, miss Kingston, une famille peut mourir de faim !

Elle le dévisagea, la bouche sèche. Une famille ? Quelle famille ? Et pourquoi serait-elle morte de faim ? Il était question de placements modestes, pas d'une fortune ! pensa-t-elle, en regardant autour d'elle. A en juger par ce somptueux décor, le prince Zakour al-Farisi n'était pas près de mourir d'inanition. Ce palais était une vraie merveille ! Dès qu'elle avait posé les yeux sur son dôme doré et ses pierres couleur miel, elle avait été enchantée par cette vision de conte de fées.

— Deux mois, c-ce n'est pas b-bien long, bégaya-t-elle.

Sans céder d'un pouce, il répondit :

— Pour certains, c'est une éternité.

Convaincue que quelque chose lui échappait, elle revint à la charge :

— Je sais que ça peut être gênant, mais Peter rendra l'argent.

— Votre loyauté familiale vous honore, miss Kingston. Je crains néanmoins de ne pas partager votre foi en votre frère et en sa capacité à restituer ce qui est dû.

— Je vous assure qu'il remboursera ! s'écria-t-elle avec toute la force de sa conviction.

— Alors, pourquoi n'est-il pas venu me le déclarer en personne ?

Emily frissonna sous son regard glacial. Elle s'était déjà posé cette même question des dizaines de fois !

— Il… il est occupé, dit-elle piteusement.

— Certes, dit Zakour al-Farisi avec un demi-sourire cynique. Plumer les gens prend du temps.

Scandalisée par cette accusation insultante, Emily en oublia sa timidité :

— Peter ne « plume » personne ! Il a besoin d'un délai, c'est tout.

— Et je ne suis pas disposé à lui en accorder.

— C'est insensé ! explosa-t-elle, incapable de se contenir. Que vous a-t-il donc fait ?

Le prince la toisa en se redressant de toute sa hauteur :

— Mettriez-vous en cause ma décision, par hasard ?

Elle rougit comme un coquelicot, réalisant trop tard sa bévue : nul ne mettait en question les décisions du prince héritier Zakour al-Farisi !

— Euh, oui, je veux dire, non, balbutia-t-elle. Je pensais simplement que Peter finira par vous rembourser, et je ne comprends pas pourquoi vous accordez tant d'importance à cet argent.

— Vraiment ? Vous ne le comprenez pas ? laissa-t-il tomber. En ce cas, vous confirmez que vous n'avez pas plus de sens moral que votre frère. Vous êtes prête à ce que des innocents pâtissent de vos actes.

En quoi pouvait-il *pâtir* d'un délai de deux mois ? se demanda-t-elle encore. Décidant que toute discussion était inutile, et qu'elle n'obtiendrait jamais gain de cause auprès d'un homme aussi rompu que lui à d'âpres négociations, elle redressa la tête. Elle voulait mettre les distances qui convenaient entre cet homme et elle, avant d'oublier que la personnalité comptait plus que la beauté physique…

— Soit, vous refusez d'accorder un délai. Je transmettrai ce message à Peter lorsque je serai rendue en Angleterre.

Elle fit un mouvement en direction du seuil, mais Zakour al-Farisi referma ses doigts hâlés autour de son poignet, la clouant sur place d'une main de fer. Lui décochant un sombre sourire, il déclara :

— Vous ne retournerez pas en Angleterre, miss Kingston. Vous avez choisi de remplacer votre frère et j'entends vous garder ici, pour l'instant du moins. A titre de garantie.

Il y eut un silence de plomb, tandis qu'elle se pénétrait du sens de ses paroles.

— Me garder ? souffla-t-elle.

— Certes, confirma-t-il, posant sur elle un regard impitoyable, entièrement dénué de sympathie. J'attendais votre frère, mais vous avez volontairement pris sa place. S'il veut que je vous laisse aller, il doit venir ici en personne.

— V-vous me demandez de rester ici ?

L'ombre d'un sourire passa sur le beau visage du prince.

— Je ne vous le demande pas, miss Kingston, dit-il de sa voix dangereusement caressante, en relâchant son poignet pour rôder de nouveau autour d'elle, tel un prédateur jaugeant sa proie. J'ai *décidé* que vous resteriez ici jusqu'à ce que votre frère vienne ici.

Elle ne put réprimer un haut-le-corps.

— Je suis votre *prisonnière* ?

— Je préfère le titre d'invitée, répliqua le prince avec son inquiétante douceur. Vous resterez dans ce palais aussi longtemps que je le voudrai, selon mon bon plaisir.

L'atmosphère parut soudain chargée d'une tension électrique, et Emily sentit une onde de chaleur se répandre en elle. A quel *plaisir* songeait donc Zakour al-Farisi ?

— Vous ne pouvez pas faire ça ! s'écria-t-elle, trop choquée pour respecter le protocole.

Elle continua en le foudroyant du regard :

— J'alerterai l'ambassadeur, ou le consulat, ou... ou...

Elle n'acheva pas sa phrase, réalisant qu'elle n'avait pas la moindre idée de la marche à suivre. Guère troublé

28

par son éclat, le prince la regarda avec une indifférence révoltante.

— Vous avez bafoué nos lois et vous resterez ici tant que votre frère ne se décidera pas à m'affronter lui-même, répliqua-t-il cyniquement, enfouissant ses longs doigts racés dans sa chevelure blonde. D'ici là, je suis certain que nous saurons tromper agréablement l'ennui de l'attente, tous les deux. Bienvenue à Kazban, miss Kingston.

2.

« Quelle éblouissante actrice ! », pensa Zak tandis qu'Emily, plus blanche qu'un linge, écarquillait ses grands yeux bleus.

Elle semblait soudain véritablement perdue, terrorisée et si jeune ! S'il n'avait appris depuis longtemps, à ses propres dépens, que les femmes pouvaient se montrer incroyablement convaincantes pour obtenir ce qu'elles voulaient, il l'aurait attirée entre ses bras pour la rassurer. Esquissant un demi-sourire désabusé, il se rappela qu'elle était venue à Kazban dans le but d'éviter à son frère un châtiment mérité. Emily Kingston était la sœur d'un voleur ! Il savait qu'elle n'avait rien d'innocent.

De toute évidence, sa tenue vestimentaire et son attitude naïve étaient calculées : elle voulait obtenir sa liberté. Eh bien, il n'avait nulle intention de la lui rendre !

Il la garderait au palais comme monnaie d'échange. Elle aurait tout loisir de méditer sur l'avarice et la cupidité ! Lui était-il donc égal que des milliers d'innocents citoyens de Kazban eussent été dépouillés de leurs économies ?

Elle avait sollicité un délai de deux mois alors que deux ans supplémentaires n'auraient pas suffi au remboursement de la dette ! C'était là un fait qu'elle ne pouvait ignorer. L'enquête qu'il avait ordonnée avait révélé que son frère se trouvait au bord de la faillite et qu'il était compromis dans des affaires extrêmement douteuses.

Comment une femme aussi belle pouvait-elle être si avide et si corrompue ? Il contempla son visage avec fascination, captivé par ses grands yeux, sa bouche pleine, l'incarnat délicat de ses joues. Ses muscles se contractèrent, et des sensations familières excitèrent sa virilité, puissamment sollicitée par ce mélange d'innocence et de sensualité.

Son regard noir croisa le regard bleu de la tentante sirène qui lui faisait face, et il laissa échapper une imprécation sourde avant de rejoindre de nouveau la croisée. Mais ce bref échange muet lui avait appris tout ce qu'il désirait savoir : elle était aussi troublée que lui. Dès l'instant où elle était entrée, des courants sensuels et violents avaient circulé entre eux. Mais cela ne changeait rien à ses propres projets !

Une fois, une seule, il avait cédé à son désir pour une femme au point d'en perdre le sens. Cela lui avait valu une cruelle déconvenue. Cette douloureuse leçon avait porté ses fruits, il ne la subirait pas deux fois !

Emily Kingston avait beau simuler l'innocence, il ne la libérerait pas tant que son frère ne serait pas à Kazban — même si elle devait le rendre fou de désir.

— Vous ne pouvez pas me retenir contre mon gré, dit-elle d'une voix étranglée. Que comptez-vous faire ? M'enfermer dans votre donjon ?

Il eut un sourire amusé.

— Vous avez lu trop de romans de chevalerie, miss Kingston. J'ai une conception beaucoup plus moderne de l'incarcération. Vous découvrirez que mon lit est bien plus agréable qu'une cellule. Et si nous pratiquons l'emploi des menottes, ce sera uniquement par consentement mutuel.

Elle laissa échapper un léger cri scandalisé, et il l'observa avec intérêt, la regardant rougir et se troubler. Elle semblait résolue à simuler jusqu'au bout la naïveté. Continuerait-elle cette petite comédie, se demanda-t-il, lorsqu'elle serait nue sous son poids viril ?

— Vous ne parlez pas sérieusement, balbutia-t-elle. Je… Vous ne pouvez tout de même pas vouloir que je…

— Je peux agir comme il me plaît, miss Kingston. Vous êtes dans mon pays, souligna-t-il avec calme. Et vous y resterez jusqu'à ce que votre frère se présente ici pour honorer sa dette.

Elle secoua la tête ; ses ravissantes boucles blondes ondoyèrent autour de son visage en forme de cœur.

— C'est ridicule, reprit-elle. Vous *devez* me laisser partir…

Sa voix se brisa légèrement, et il la regarda faire, à la fois amusé et admiratif. Il avait une vaste expérience des larmes féminines. Pourtant, cette comédienne ne laissait pas de l'impressionner. Elle avait l'astuce consommée de ne pas laisser couler ses larmes. Elle relevait le menton, au contraire, et luttait pour ne pas s'effondrer — ce qui lui donnait l'air d'un brave petit soldat.

— Quand votre frère arrivera, vous serez libre de partir, dit-il brièvement.

Puis il se détourna pour gagner la fenêtre, agacé de voir briller de vraies larmes dans ses yeux. « Les femmes ! » pensa-t-il, surpris d'être excité.

— Mais il n'a besoin que de deux mois pour tout régler, persista-t-elle. Est-ce vraiment trop demander ? L'argent compte donc tellement ?

Il fit volte-face, offensé d'être mis en accusation et furieux de constater qu'elle s'obstinait à nier l'étendue de la dette. Il tourna autour d'elle, quêtant sur son visage un signe de remords.

— Votre frère a commis un crime passible d'emprisonnement à Kazban, lui assena-t-il en cessant d'arpenter la salle. S'il croyait vraiment échapper à notre justice en vous envoyant à sa place, il a commis une grossière erreur. Je suis résolu à vous retenir tant qu'il ne viendra pas affronter les charges qui pèsent contre lui.

— Un-un c-crime ? balbutia-t-elle. La baisse des cours affecte tout le monde. Mais ce n'est pas un *crime* !

Zak la considéra avec incrédulité, effaré de la voir continuer à feindre, et prétendre ignorer les malversations de son frère. « Combien de temps s'imagine-t-elle pouvoir faire durer cette supercherie ? » s'interrogea-t-il cyniquement.

Peter Kingston avait perdu jusqu'au dernier sou. Il avait hypothéqué la demeure familiale et sa faillite était certaine. Comment sa sœur pouvait-elle s'obstiner à affirmer que les pertes étaient imputables aux fluctuations du marché ? A approuver sa malhonnêteté ?

Le souffle court, elle le fixait d'un air à la fois effrayé et fasciné, et, en homme accoutumé à la fréquentation des femmes, il ne manqua pas de remarquer la façon dont elle entrouvrait les lèvres, de deviner, sous le tissu de sa robe, les pointes raidies de ses seins. Il ne put retenir un sourire de satisfaction toute masculine.

Elle avait échoué à obtenir sa liberté, et elle songeait maintenant à échouer dans son lit…

— Je vous garderai aussi longtemps que vous me serez utile, lâcha-t-il, enregistrant sa soudaine pâleur.

— Non ! Ce n'est pas ce que voulait Peter. Il attend que je rentre…

— Et en ne vous voyant pas arriver, il vous rejoindra ici. A moins qu'il ne soit trop lâche pour m'affronter face à face.

— Mon frère n'est pas un lâche ! s'écria-t-elle avec colère.

Il l'observa avec intérêt, intrigué par ce changement.

— Dites-moi, miss Kingston, pourquoi avez-vous accepté de venir ?

— Parce que Peter était trop pris pour se rendre ici, répondit-elle vivement, non sans rougir. Et puis parce que j'ai pensé que ce serait une aventure. Ni Peter ni moi n'aurions imaginé que vous me retiendriez ici.

— Préparez-vous à de l'aventure, miss Kingston. Si votre frère ne vient pas assister à son procès, alors, c'est vous qui irez au tribunal à sa place.

— Au tribunal ? Mais je n'ai rien fait !

— Vous représentez votre frère, souligna-t-il doucereusement. Vous devez donc rendre compte de ses crimes à sa place. C'est cela, la justice.

— De la justice ! Je ne vois pas en quoi ! Vous dites qu'il a commis un crime, mais rien de tout cela n'est sa faute. Et vous n'avez pas le droit de me soumettre à un procès ! Vous...

— Je peux faire ce que bon me semblera, coupa Zak, refoulant le désir brutal qu'elle lui inspirait. Nous sommes à Kazban, pas en Angleterre. Et nos lois répriment sévèrement le vol.

Elle porta sa main à sa gorge, comme si elle avait soudain peine à respirer.

— J'ignore de quoi vous parlez. Peter n'a commis aucun vol. Les cours boursiers sont fluctuants, c'est tout !

Il cilla, guère accoutumé à ce qu'on lui fasse des leçons à ce sujet.

Il avait fait des études d'économie dans une université américaine cotée et, depuis qu'il avait été contraint de prendre la relève de son père malade et de diriger le pays, l'économie de Kazban n'avait cessé de se développer. Il n'avait rien à apprendre en matière de finances ! Quant au risque, il connaissait ! Il adorait ça.

Décidant de jouer le jeu encore un moment, il demeura impénétrable.

— Priez pour que les cours remontent, en ce cas, miss Kingston, lâcha-t-il en l'observant avec attention. Priez aussi pour que votre frère ne tarde pas à venir. Dans le cas contraire, préparez-vous à un long séjour.

— Mais…

— Cet entretien est terminé, coupa-t-il froidement. D'autres personnes attendent audience. Vous resterez au palais comme j'en ai décidé.

« Il faut à tout prix que je m'en aille d'ici ! » pensa Emily.

Elle s'était portée au secours de Peter, mais sa présence n'avait fait qu'aggraver les choses. Le prince avait l'intention de se servir d'elle comme d'une otage !

« Mon lit est bien plus agréable qu'une cellule… »

Soudain oppressée, elle ramassa ses quelques affaires et les entassa frénétiquement dans son sac de voyage. De toute évidence, le prince héritier Zakour al-Farisi n'était pas disposé à la relâcher. C'était donc à elle de prendre les choses en main.

Cet homme était impitoyable et entièrement dépourvu de bonté. Pourquoi insistait-il pour que Peter rende l'argent alors qu'il nageait dans l'opulence ? Pour sa part, elle n'avait jamais attaché d'importance aux biens matériels, et elle ne comprenait pas qu'on pût désirer une richesse illimitée. Comme elle avait perdu ses deux parents lorsqu'elle avait douze ans, pour elle, la vraie richesse était d'avoir une famille ; d'être aimée et d'avoir des enfants.

Sa respiration s'accéléra alors qu'elle se remémorait son trouble en présence du prince. Aucun homme ne lui avait jamais fait éprouver de telles choses ! Jamais on ne l'avait regardée comme il l'avait fait. Jamais elle ne s'était sentie aussi… aussi *femme*.

Elle effleura son propre visage, se souvenant du contact de ses doigts virils sur sa peau, et la façon dont elle s'était sentie défaillir, submergée par des sensations trop érotiques et trop puissantes. Il lui avait suffi de darder sur elle son regard de braise pour qu'elle oscille vers lui, répondant d'instinct à l'appel de sa virilité…

« Tu le désires, ironisa-t-elle. Allons, reconnais-le. Zakour al-Farisi n'est pas sympathique, mais tu as envie de lui. Envie d'être dans son lit… »

Seigneur, non ! Elle ne voulait pas d'une relation uniquement basée sur l'attirance sexuelle, si tentante qu'elle fût. C'était là une liaison trop fragile et elle avait décidé, voici longtemps, que lorsqu'elle tomberait amoureuse, ce serait dans le cadre d'une relation fondée sur l'amitié et le respect mutuels.

Alors, pourquoi ce rêve d'avenir lui semblait-il soudain ennuyeux et borné ?

Elle eut un frisson, et songea aux accusations que Zakour al-Farisi portait contre Peter. Cela n'avait pas de sens ! Son frère n'aurait jamais commis un acte illégal, il ne pouvait s'agir que d'un malentendu.

Une idée troublante s'insinua dans son esprit : ce qu'elle voulait fuir, c'était surtout la part inconnue d'elle-même qu'elle venait de découvrir… Elle la refoula, et glissa son passeport dans la poche de sa robe, tout en réfléchissant activement. L'aéroport ne lui avait pas semblé très loin du palais. Elle devrait convaincre quelqu'un de l'y conduire en voiture. Et quitter le palais sans se faire prendre…

Elle gagna l'une des fenêtres de sa chambre puis, songeuse, regarda la cour, trois étages en contrebas. Ses yeux se posèrent ensuite sur les rideaux chamarrés, et sur les cordelettes tressées qui les retenaient en arrière. Elles ressemblaient à la corde du gymnase de l'école, se dit-elle en les tâtant. Oui, elles semblaient assez solides pour soutenir le poids d'un être humain. C'était une chance qu'elle fût plutôt sportive…

— Miss Kingston a quitté le palais, Votre Altesse.

Zak était occupé à examiner les dépenses de sa belle-sœur, ce qui mettait sa patience à l'épreuve ! Etait-il possible de dépenser autant d'argent en fanfreluches ? Il releva la tête à cette annonce.

— Comment ? demanda-t-il.

Sharif s'éclaircit la gorge.

— Euh… elle est descendue le long du mur extérieur, Votre Altesse.

— Pardon ? s'exclama Zak, lâchant le stylo qu'il tenait.

— Un garde l'a vue jeter une corde par-dessus l'appui de la fenêtre. Mais elle a fait si vite qu'il n'a pas pu l'arrêter.

— Une corde ?

— Il semble qu'elle a utilisé les cordons des rideaux, Votre Altesse.

Zak digéra l'information puis, se carrant sur son siège, il lâcha malgré lui un rire bref. C'était inouï ! Pour la première fois depuis des années, il avait sous-estimé une femme !

Emily Kingston méritait un coup de chapeau pour son cran et son inventivité, pensa-t-il, admiratif, en se levant pour gagner la plus proche croisée.

Mais il avait une preuve supplémentaire de sa culpabilité, si tant est qu'il en eût besoin : de toute évidence, elle ne croyait pas que son frère se porterait à sa rescousse. Cependant, qu'espérait-elle en s'évadant du palais par un tel moyen ? Elle devait bien savoir qu'il lui était impossible de quitter le pays sans sa permission. S'imaginait-elle réellement qu'il lui suffisait, pour reconquérir sa liberté, de franchir un mur et de sauter dans un avion ?

— Vous l'avez fait suivre ? demanda-t-il à Sharif.

— Evidemment, Votre Altesse.

— Bien, dit Zak avec un sourire qui ne promettait rien de bon. Laissons-la aller à sa guise, pour voir où le vent la porte.

Sharif parut interdit.

— Mais, Votre Altesse, les rues de Kazban ne sont pas sûres, pour elle. Elle…

— … va déchanter, acheva Zak à sa place. Quelques heures de solitude à Kazban, et elle implorera ma protection.

— Mais, Votre Altesse, une femme aussi belle…

Il se tut brusquement, sentant qu'il outrepassait son rôle. Se levant d'un mouvement souple et vif, Zak lui rappela :

— Elle approuve le vol et la corruption. Qu'elle tâte donc un peu de nos réalités les plus rudes !

Après une hésitation, Sharif risqua :

— Elle se dirigeait vers le souk, Votre Altesse, et il commence à se faire tard. Ce n'est pas sûr, pour une Occidentale…

— J'en conviens. Mais Emily Kingston n'est pas précisément une vierge effarouchée. Elle est capable de veiller sur elle-même. Voyons un peu ce qu'il lui arrivera en dehors du palais. Elle ne sera peut-être plus si pressée de le quitter, à l'avenir.

Toujours perturbé, Sharif s'inclina, en ajoutant d'un ton d'excuse :

— Vous avez un autre problème urgent à régler, Votre Altesse. La nounou a du mal à supporter les colères de Jamal.

Zak réprima un soupir.

— Dites-moi, Sharif, combien de temps la précédente a-t-elle tenu, déjà ?

— Quatre semaines, Votre Altesse. Plus que les quatre qui ont précédé. Je suis navré de vous importuner avec ce fardeau supplémentaire alors que vous avez tant de choses à régler, mais comme votre belle-sœur n'est toujours pas rentrée de voyage...

« Toujours à courir l'Europe en laissant son fils entre des mains incompétentes », pensa Zak, assombri.

Sa belle-sœur provoquait tant de tensions au palais qu'il hésitait à lui ordonner de rentrer. Il n'en était pas moins inquiet pour son neveu... Peut-être était-il temps qu'il se marie, pensa-t-il, raisonnant avec son sang-froid habituel. Cela pouvait mettre fin aux complots de sa belle-sœur sur ce terrain particulier...

— Quelqu'un doit bien pouvoir s'occuper de cet enfant, soupira-t-il en se rasseyant. Bon, soit, je parlerai à Jamal. Qu'est-ce qu'il y a, Sharif ? Quoi d'autre ?

— Près de cinq ans se sont écoulés depuis la mort tragique de votre frère, Votre Altesse. Sa veuve... Des photos ont paru, votre père pose des questions. Il craint un autre scandale...

Sharif marqua une hésitation, puis continua tout de même :

— Il espère que vous épouserez la veuve de votre frère, ce n'est un secret pour personne…

Zak se figea, affichant un masque impassible. Il était temps qu'il se marie, en effet ! Et n'importe quelle femme était préférable à Danielle ! Dire qu'autrefois, il…

Il serra les mâchoires, songeant à la folie de la jeunesse. Même s'il était aujourd'hui convaincu que l'amour n'existait pas, il saurait faire un meilleur choix que de choisir une femme qui faisait passer ses propres besoins avant ceux de son enfant ! Non, certes, il n'épouserait pas Danielle !

Recouvrant son empire sur lui-même il déclara :

— Je me charge de régler cette question.

Il congédia Sharif d'un signe, et se renversa sur son siège, songeur. Soudain, il avait l'esprit plein d'Emily Kingston… Se superposant aux colonnes de chiffres alignées sur son bureau, il voyait une chevelure d'un blond doux, une bouche tentante, des courbes bien féminines…

A la pensée que ces charmes étaient à présent offerts à la vue de tous dans les rues de Kazban, il avait du mal à se concentrer.

Lâchant un juron étouffé, il se leva et contempla le ciel d'un bleu d'encre. Sharif avait raison, il ferait nuit d'ici une heure…

Prenant aussitôt une décision, il pianota sur les touches de son téléphone. Il réglerait plus tard ce qui concernait son neveu et sa belle-sœur. D'abord, il fallait s'occuper d'Emily Kingston.

Stupéfaite d'avoir pu quitter le palais sans être appréhendée, Emily jeta un coup d'œil par-dessus son épaule. Nul ne semblait l'avoir prise en filature. Son cœur battait à se rompre, elle n'avait jamais eu aussi peur de sa vie. Mais elle semblait avoir réussi !

Maintenant, il lui fallait une voiture pour se rendre à l'aéroport. Où diable pouvait-on trouver un taxi, à Kazban ?

Recouvrant peu à peu son sang-froid, elle commença à ressentir la forte chaleur extérieure, qui contrastait avec la fraîcheur du palais. Bien que l'après-midi touchât à sa fin, l'air était suffocant.

Elle serra ses doigts sur la poignée de son sac de voyage, et marcha aussi vite que le lui permettaient ses escarpins. Elle étouffait sous sa veste, mais il était hors de question qu'elle l'enlève. Sa robe, longue jusqu'aux chevilles, laissait nus ses bras et ses épaules — une vision indécente, dans un pays tel que Kazban.

Elle traversa le souk sans trop savoir quelle direction prendre, distraite par les étalages colorés et les odeurs des herbes et des épices de toutes sortes, voyant défiler les vendeurs de djellabas et de soieries, de fruits et de légumes...

Une fois, elle demanda un taxi, et l'homme qu'elle interrogeait lui donna quelques indications, ponctuées de signes vagues. Elle s'efforça de suivre le chemin qu'il avait indiqué, mais il ne la mena qu'à d'autres échoppes. La lumière déclinait déjà. Elle était maintenant perdue au beau milieu de Kazban.

Mal à l'aise, elle fit demi-tour et erra dans les rues poussiéreuses, soudain désertées par les passants, sans pouvoir retrouver son chemin. Elle s'engagea dans une rue proche pour s'immobiliser presque aussitôt. Trois hommes en djellaba lui barraient la route !

L'un des hommes s'adressa à elle dans une langue incompréhensible et, comme elle ne réagissait pas, elle fut encerclée par le trio. Instinctivement, elle serra son sac contre elle, bien qu'il contînt peu de choses et que son passeport fût dans la poche de sa robe. De nouveau, le plus grand éleva la voix, en souriant, cette fois — mais d'une façon si cruelle qu'elle se figea de terreur.

Résolue à ne pas trahir son angoisse, elle redressa la tête et tenta de passer outre. Mais ils l'encerclèrent plus étroitement, échangeant entre eux des propos qu'elle ne comprenait pas. L'un d'eux étendit la main vers ses mèches dorées, en client qui examine une marchandise.

— Laissez-moi tranquille ! cria-t-elle en s'écartant.

Elle buta contre l'homme placé derrière elle. Le cœur battant la chamade, elle réalisa qu'elle ne pouvait plus bouger. Elle était prise dans un étau !

3.

L'un des hommes s'empara de son bagage, l'autre lui arracha sa veste. Elle se retrouva vêtue de sa mince robe en coton et de ses ridicules chaussures à talons et, un instant, resta figée, le souffle court, la peur au ventre. Puis un sursaut de colère la souleva, malgré sa terreur. Elle était en visite dans un pays étranger, elle devait être traitée avec respect !

— Je suis anglaise, déclara-t-elle avec clarté. Rendez-moi mon sac.

Ils se mirent à ricaner. Sur une impulsion, elle s'en prit à celui qui avait son bagage, lui décochant un coup de pied si vigoureux qu'il bondit en arrière en poussant un cri de douleur. Elle récupéra son sac d'un geste vif et s'élança au pas de course. Son triomphe fut de courte durée. D'abord stupéfaits par sa surprenante attaque, les deux autres réagirent et la happèrent à bras-le-corps. Elle sentit craquer sa robe, perdit son sac, s'écroula au sol.

— Aïe ! cria-t-elle comme un objet coupant lui entaillait la cheville.

Se raidissant contre la douleur, elle redressa la tête, furieuse et prête à lutter. Elle vit alors qu'un quatrième homme avançait vers eux à grands pas, sa djellaba ondoyant le long de son corps athlétique. Il était plus grand que ses agresseurs, et son allure résolue la fit frémir. Sa tête était couverte du *gutra* traditionnel, mais elle put entrevoir l'éclair farouche de ses yeux noirs tandis qu'il lançait quelques mots brefs dans une langue inconnue.

Ami ou ennemi ? se demanda-t-elle. Elle retint son souffle, braquant son regard sur la main du nouveau venu, plaquée contre sa djellaba. Elle devinait, dans les replis, la présence d'une arme. Allait-il y avoir un combat ?

Cependant, sa main ne remua pas, tandis qu'il promenait sur chacun des assaillants son regard autoritaire. D'abord réticents et hostiles, ils cédèrent peu à peu, intimidés par son expression menaçante et sa formidable autorité. Soudain, ils firent volte-face et détalèrent en courant, emportant avec eux son sac et sa veste.

Emily rapprocha les pans déchirés de sa robe et se mit à trembler, les yeux fixés sur l'homme qui avait provoqué cette débandade. Sans un mot, son sauveteur s'inclina et la souleva entre ses bras.

— Que faites-vous ? s'exclama-t-elle. Lâchez-moi !

Et elle décocha un coup de poing contre son torse aussi ferme qu'un roc.

— Du calme ! dit-il, resserrant son emprise et l'emportant à travers les rues comme si elle ne pesait pas plus qu'un fétu de paille.

Après avoir évolué un instant dans les ruelles, il finit par s'arrêter sous un porche écarté.

— Etes-vous blessée ? demanda-t-il dans un anglais impeccable.

Emily, mortifiée, sentit des larmes rouler sur ses joues. « C'est le choc », pensa-t-elle, luttant contre le besoin instinctif de se laisser aller contre son épaule pour pleurer. Maintenant qu'elle était en sécurité, elle réalisait toute l'étendue du danger qu'elle venait d'encourir.

— Je n'ai rien, répondit-elle en examinant l'endroit où ils se trouvaient d'un air dubitatif. Vous pouvez me reposer à terre. Pourquoi m'avez-vous amenée ici ? Ça paraît encore plus dangereux que les rues principales…

— Vous y attirez beaucoup trop l'attention, répliqua-t-il rudement.

Mais ce fut avec une singulière douceur qu'il la posa à terre. Il laissa échapper un murmure étouffé en regardant vers le sol, et dit :

— Vous saignez.

Elle suivit la direction de son regard, et comprit pourquoi sa cheville lui faisait si mal. Elle était marquée d'une profonde entaille, d'où sourdait du sang.

— Oh ! J'ai dû heurter quelque chose de coupant pendant mon agression.

— Elle n'aurait pas eu lieu si vous ne vous étiez pas aventurée dans un secteur dangereux.

Poussant un soupir excédé, il s'agenouilla pour l'examiner de plus près — soulevant sa robe et palpant sa cheville d'une main experte.

— Pas étonnant que vous ayez trébuché, commenta-t-il. Ces escarpins sont ridicules.

— J'en conviens, mais je n'ai rien d'autre. Je n'envisageais certes pas d'avoir à piquer un sprint pour sauver ma vie, lorsque je les ai choisis. Aïe ! Vous me faites mal !

— Remerciez le ciel d'être seulement blessée à la cheville, dit-il sans aménité tandis qu'il achevait son examen. Je ne pense pas que des points de suture seront nécessaires. La prochaine fois que vous vous évaderez, choisissez des chaussures plus appropriées.

Emily tressaillit à ces mots et, pour la première fois, s'efforça d'examiner son sauveteur de près.

— Comment savez-vous que je suis en fuite ?

D'un mouvement preste, il ôta quelque chose de son cou et lui banda habilement le pied, jugulant le flot de sang. Puis il leva les yeux vers elle, et elle sombra dans la contemplation d'un regard noir déjà familier.

— Oh, non… ! C'est *vous* ! s'écria-t-elle désespérée.

— Certes, dit-il avec une inclinaison de tête. Je suppose que mon costume correspond à vos attentes, cette fois, miss Kingston.

Elle le contempla, fascinée par son allure dans la traditionnelle djellaba. Comment avait-elle pu ne pas le reconnaître ? Sa beauté s'imposait étrangement, dans la pénombre, et son port de tête traduisait l'héritage de siècles de pouvoir. Pas étonnant que ses assaillants aient détalé !

— J'aurais bel et bien dû vous enfermer dans un donjon, lui assena-t-il, glacial, en se redressant pour regarder autour de lui avec circonspection. Cela aurait été plus sûr pour tout le monde. Je vous conseille d'oublier les contes de fées avec prince charmant à la clé tant que vous serez à Kazban, miss Kingston. Le prince que je suis n'entend pas respecter les conventions et se montrer charmant !

— Je n'ai jamais été particulièrement folle du prince charmant, laissa-t-elle échapper.

— Dans ce cas, soyons réalistes, lui répliqua-t-il. Beaucoup de gens se sont donné du mal à cause de vous ! Ma présence était requise au palais, ce soir. Mais à cause de vos extravagances, j'ai dû courir le risque de compromettre nos bonnes relations avec ceux qui jouent un rôle essentiel pour le maintien de la tranquillité dans ce secteur.

— Je n'ai pas demandé à ce qu'on me suive, commença-t-elle, non sans confusion.

Zakour al-Farisi laissa échapper quelques mots d'une voix sourde, et elle n'eut pas besoin qu'on les lui traduise pour comprendre qu'ils n'avaient rien d'indulgent à son égard !

— Si on ne vous avait pas prise en filature, vous seriez dans les mains des hommes qui s'intéressaient à vous tout à l'heure. Les gardes du palais ont momentanément perdu votre trace. Ils ont ratissé le secteur et partout où ils allaient, il n'était question que d'une belle Occidentale aux cheveux soyeux.

Il lui décocha un regard railleur, avant de continuer :

— Il ne fait pas bon, pour une Occidentale, de s'aventurer seule dans certains secteurs. Vous vous sentirez plus en sécurité au palais. A l'extérieur, ce ne sont pas les risques qui manquent : la chaleur, le désert, les tribus hostiles…

Emily le regarda, le cœur battant, en pensant qu'elle contemplait certainement le plus grand danger de tous : Zakour al-Farisi, prince beau comme un dieu…

Déstabilisée, elle murmura :

— Je voulais seulement rentrer chez moi.

— Et jusqu'où croyiez-vous pouvoir aller dans une pareille tenue ? s'écria-t-il, exaspéré.

Elle baissa les yeux et s'aperçut avec effarement que le col déchiré de sa robe révélait sa chair de façon indécente. Elle rapprocha les pans de tissu d'un geste vif.

— J'avais une veste, souligna-t-elle. Avant qu'on me la vole avec mon sac.

— Et vos cheveux blonds flottaient au vent comme la cape rouge qu'on agite devant le taureau, riposta-t-il.

Elle fut si indignée qu'elle en oublia le respect du protocole.

— C'est votre faute ! Vous avez enlevé ma pince à cheveux !

Elle se demanda pourquoi elle avait peine à respirer, tout à coup, et voulut se convaincre que cela n'avait rien à voir avec la perturbante proximité de Zakour al-Farisi.

— Et puis j'ai cherché un chapeau dans le souk, si vous voulez savoir, ajouta-t-elle pour faire bonne mesure. Mais je n'en ai pas trouvé.

— Les chapeaux, c'est bon pour les touristes, et on n'en vend pas dans la partie où vous vous trouviez.

Il se raidit brusquement alors que des cris éclataient à peu de distance. Effrayée, elle ouvrit la bouche, et il plaqua aussitôt sa main sur ses lèvres, la repoussant contre le seuil du porche de toute la force de son grand corps.

— Silence ! lui souffla-t-il.

Cet ordre murmuré lui fit réaliser l'étendue du péril qu'elle avait encouru en s'aventurant sans escorte dans cette ville inconnue. S'il ne l'avait pas retrouvée...

Elle ferma les yeux tandis que les cris faiblissaient dans le lointain. Elle eut soudain une conscience aiguë de sa présence, et du contact de ses cuisses musclées, alors qu'il la tenait serrée pour mieux la cacher dans les pans de sa djellaba. Happée dans un univers inconnu, elle se laissa griser par les sensations qui la pénétraient.

Alors, une faiblesse la prit et elle entrouvrit les lèvres, sous sa paume virile. Cédant au désir irrépressible de goûter à sa chair, elle laissa errer sa langue sur ses doigts.

Elle perçut son souffle plus rauque, sa brève imprécation. Puis soudain, ses doigts se mêlèrent à la lourde masse dorée de ses cheveux, ses pouces vinrent soulever son menton, la contraignant à affronter le regard de braise qu'il dardait sur elle. Ensuite, sa bouche s'écrasa sur la sienne comme s'il voulait la punir, étouffant le cri qu'elle laissait échapper.

Une onde d'excitation la parcourut et elle se laissa aller contre lui, grisée par le contact de sa langue envahissant sa bouche.

Il la souleva contre lui, et sa chair féminine épousa sa dureté virile. Submergée de sensations, excitée de le sentir aussi troublé qu'elle, elle éprouva un vertige sensuel dévastateur, où la frontière de leurs corps s'effaçait dans une fusion totale…

Un autre cri troua le silence, coupant net l'élan de passion torride qui les avait emportés. Il s'écarta brusquement et elle vacilla, étonnée de voir sur son visage viril une expression particulièrement sombre, et aspirant à retrouver les délicieux plaisirs auxquels elle venait de goûter pour la première fois.

En même temps, elle était épouvantée par son incapacité à résister aux sentiments qu'il lui faisait éprouver. Elle n'aurait pas dû ressentir de telles choses ! C'était insensé ! Comment pouvait-on avoir autant d'antipathie pour quelqu'un et vouloir, en même temps, se griser de chaque pouce de sa chair ?

— Cela n'aurait pas dû se produire, dit-il avec un nouveau mouvement de recul, comme s'il se défiait de lui-même. Nous n'avons aucun goût pour les exhibitions de ce genre, à Kazban.

Elle le dévisagea en silence, se demandant qui, d'elle ou de luï, était le plus choqué. Lui, parce qu'il venait de perdre son légendaire sang-froid ou elle, parce qu'elle avait fait l'expérience d'une excitation sensuelle inédite ? Elle avait toujours cru que de tels emportements étaient une légende ! Et qu'elle n'était sans doute pas très portée sur les plaisirs de la chair…

Elle venait de découvrir tout le contraire, et il lui semblait effrayant de l'avoir appris auprès de cet homme là.

— Nous devrions nous en aller d'ici avant que la situation se dégrade davantage, dit-il d'un air sombre.

Quelle situation ? se demanda Emily en dévisageant son arrogant interlocuteur. Parlait-il des hommes du secteur, ou d'elle ? Leur baiser ne l'avait visiblement pas troublé outre mesure. Mais bien entendu, la cohorte des femmes prêtes à le satisfaire était innombrable, pensa-t-elle avec une étrange nostalgie.

— Où sont vos gardes ? demanda-t-elle.

— Pas loin, dit-il, l'air énigmatique. Pour le cas où je voudrais faire appel à eux. Mais ce n'est pas nécessaire. Je suis capable de me défendre en cas de besoin. On ne saurait en dire autant de vous.

— J'aurais très bien pu m'en tirer, s'insurgea-t-elle, piquée.

— Par quel moyen ? dit-il durement. De quelles armes disposiez-vous, en dehors de vos talons aiguilles ? D'un bâton de rouge à lèvres explosif ? D'un peigne empoisonné ?

— Cessez de vous moquer de moi ! s'indigna-t-elle.

— J'essaie de vous faire comprendre que vous avez pris de gros risques. Vos assaillants ne plaisantaient pas, croyez-le bien ! Et maintenant, partons.

Portant ses doigts à sa bouche, il émit un sifflement bas. Elle entendit un claquement de sabots et, stupéfaite, elle vit galoper vers eux un étalon noir. Il s'arrêta près de Zakour al-Farisi en piaffant d'impatience, tandis qu'elle demeurait fascinée par la splendeur de l'animal.

Les chevaux étaient sa passion, et elle en possédait deux, en Angleterre. Aussi était-elle capable d'apprécier le magnifique étalon qui se dressait devant elle. Elle eut un demi-sourire, car le cheval évoquait son maître : comme lui, il était puissant et fort, et visiblement dangereux.

Zak saisit la bride du cheval, murmura quelques mots doux à l'adresse de l'étalon, puis fit signe à Emily.

— Vite, ordonna-t-il.

Comprenant qu'il voulait la ramener au palais, elle recula en secouant la tête.

— Non, je n'irai pas avec vous ! Je ne… Hé !

Avant même qu'elle ait pu achever sa phrase, le prince l'avait balancée sur la croupe de l'étalon noir, et il enfourcha sa monture à son tour, lançant l'animal dans les ruelles obscures.

Bien qu'elle fût une cavalière expérimentée, elle n'avait jamais connu de chevauchée aussi sauvage. Mais Zakour al-Farisi menait l'étalon d'une main de maître. En d'autres circonstances, elle aurait admiré les qualités spectaculaires du cavalier. Là, elle ne pensait qu'à une chose : il la ramenait au palais, et elle n'aurait sans doute pas de sitôt une autre possibilité d'évasion !

Se cramponnant à la crinière de l'animal, elle espéra qu'ils ne croiseraient personne dans les étroites ruelles. Elle sentait, dans son dos, la musculature des bras et des cuisses de Zak, percevait sa chaleur virile tandis qu'il les ramenait au galop vers le palais de Kazban.

Elle s'était attendue à pénétrer dans l'enceinte du Palais d'Or par l'entrée principale. Mais au lieu de cela, le prince contourna les murs pour finir par s'engager, sans ralentir l'allure, dans un étroit passage — salué par des gardes en armes qui défilaient sous leurs yeux comme en un éclair. Emily comprit qu'ils reconnaissaient leur futur souverain, en dépit du costume qu'il arborait.

Bientôt, Zak s'arrêta dans un nuage de poussière, au beau milieu d'une vaste cour.

Une nuée de domestiques accourut tandis qu'il mettait pied à terre avec une grâce athlétique puis se tournait vers Emily pour l'aider à descendre de la monture. Elle fléchit aussitôt, la cheville traversée d'un élancement aigu. Lâchant un juron étouffé, Zak la souleva entre ses bras tout en lançant des ordres. Plusieurs serviteurs s'élancèrent vers le palais. Ceux qui restaient la scrutèrent, la faisant rougir.

— Vous n'êtes pas obligé de me porter, marmonna-t-elle à l'adresse de Zak.

— Vous préférez que je vous laisse croupir dans ma cour ? ironisa-t-il. Vous n'avez déjà que trop provoqué les spéculations de mon peuple.

Il la transporta à travers la cour, sans prêter attention aux serviteurs qui s'inclinaient visage contre terre sur son passage. Après avoir traversé d'interminables couloirs dallés de marbre, il finit par rejoindre la salle où elle avait reçu audience et, sans un mot, il l'allongea sur le divan tendu de soie avec une surprenante douceur.

— Un médecin va vous examiner sous peu.

— Un médecin ? dit-elle, cherchant à se redresser.

— Vous avez une blessure à la cheville, me semble-t-il. Estimez-vous heureuse de n'être pas plus sérieusement atteinte et de vous trouver en sécurité.

Réprimant un frisson au souvenir de sa mésaventure, elle répliqua :

— Je ne me sens pas particulièrement en sécurité auprès de vous ! Pourquoi croyez-vous que je me sois enfuie ?

— Vous avez plus d'instinct et de jugeote que je ne l'aurais cru, alors, admit-il avec une lueur dans le regard qu'elle ne sut interpréter. Je ne suis pas inoffensif, miss Kingston. Mais je pense que l'abri de mon palais vous semblera plus accueillant que celui de vos agresseurs. Vous auriez dû préparer votre voyage avec plus de réflexion. Il était hors de question que je vous laisse repartir. Vous auriez dû vous en douter, ainsi que votre frère.

— Bien sûr que non ! Peter ne m'aurait jamais envoyée délibérément au-devant d'un danger !

— Et pourtant, vous êtes ici, répliqua-t-il.

— Eh bien, nous ne savions ni l'un ni l'autre que vous étiez si déraisonnable, si impitoyable et si soupçon…

Elle s'interrompit net en se rappelant brusquement à qui elle s'adressait, et balbutia d'un air effaré :

— Euh… Votre Altesse…

— Mais je vous en prie, dit-il, écartant les mains en un geste d'invite ironique. Nous avons déjà bafoué toutes les règles du protocole.

Décidément, cet homme allait la rendre folle ! Il était son ennemi, et elle ne voulait plus jamais l'embrasser ! Leur seul baiser l'avait plongée en état de choc. Peut-être pensait-il la même chose, d'ailleurs, car il émit un marmonnement impatienté et se détourna, débouclant quelque chose au creux des plis de sa djellaba. Elle vit apparaître une épée, qu'il posa sur le bureau.

— Donc, vous avez bien une arme, murmura-t-elle.

— Remerciez la Providence que je n'aie pas eu à m'en servir, lui lança-t-il en faisant volte-face. J'aimerais autant que vous n'ajoutiez pas le crime de sang à la liste des autres que vous avez commis.

— Voici la deuxième fois que vous m'accusez d'un crime que je n'ai pas commis ! s'indigna-t-elle. Je suis totalement *honnête*, et si vous n'avez même pas assez de finesse pour vous en rendre compte, alors…

Elle se tut brusquement, figée de lire dans son regard noir de la stupéfaction. Elle étouffa un soupir de remords. Décidément, elle ne se reconnaissait plus ! Elle qui était si facile à vivre et si patiente, en général, voilà qu'elle se montrait grossière au-delà de toute expression.

Lui aussi semblait heurté par son comportement. Elle se raidit, anticipant une réplique cinglante, mais ce fut avec un sourire cynique qu'il lui lança :

— En fait, je suis imbattable lorsqu'il s'agit d'apprécier le caractère de quelqu'un. C'est un talent qu'on développe précocement, lorsqu'on est très riche.

Elle le dévisagea, le cœur battant à se rompre ; elle ignorait ce que ressentaient les autres femmes, mais lorsqu'elle le regardait, ce n'était certes pas l'argent qui lui venait à l'esprit !

— Je ne sais rien des femmes que vous avez fréquentées, dit-elle avec colère, mais je vous interdis de me juger à leur aune !

— Car vous, vous ne vous intéressez nullement à l'argent, bien entendu !

— Effectivement, l'argent ne m'intéresse pas, rétorqua-t-elle, piquée par son ironie. L'argent est une source de problèmes, si vous voulez mon avis et il ne peut pas vous apporter les choses qui comptent vraiment !

Avec un air impénétrable, son interlocuteur lui demanda :

— Et... peut-on savoir ce qui compte pour vous, miss Kingston ?

Quelque chose d'indéfinissable, dans son regard, fit battre son cœur plus vite.

— J'ai peine à croire que ce qui m'importe puisse vous intéresser, murmura-t-elle.

— Dites-le.

C'était un ordre qu'elle ne pouvait ignorer, et elle lâcha sans pouvoir s'en empêcher, les yeux rivés à son regard de braise :

— L'amour... et la famille. Ce sont des choses qu'on ne peut monnayer, et elles valent bien plus que toute la richesse du monde. Je veux rencontrer un homme que je puisse aimer et qui m'aime en retour. Je veux un foyer et des enfants. C'est tout ce que je désire, Votre Altesse.

Il y eut un long silence, puis Zakour al-Farisi ébaucha un sourire.

— On croirait entendre une jeune fille innocente. Mais nous savons l'un et l'autre que vous êtes loin de correspondre à cette description.

Comme pour appuyer ses dires, il laissa errer son regard sur la naissance de ses seins, révélée par la déchirure de sa robe. Elle rougit sous la brûlure de son regard, soudain incapable de trouver son souffle. Luttant pour se mettre debout, elle gagna tant bien que mal la porte en s'efforçant d'ignorer sa cheville qui lui élançait.

— Je me moque de ce que vous pouvez penser. Je ne resterai pas ici. Je rentre chez moi.

4.

Une main virile se referma sur le poignet d'Emily, et Zak lâcha de sa voix douce :

— Vous ne voulez pas que je vous laisse partir, Emily. Je sais très bien ce que vous désirez.

Elevant une main, il glissa ses doigts dans la fente béante de sa robe puis, avec une lenteur savante, effleura la pointe d'un de ses seins, lui arrachant un léger cri de volupté. Choquée par la violence de sa réaction de plaisir, elle perçut cependant son rire — un rire de triomphe bien masculin.

— Vous ne voulez pas que je vous laisse partir, Emily, redit-il d'une voix plus rauque, en la coinçant contre la porte. N'essayez pas de nier ce que vous ressentez. Il y a eu entre nous une alchimie sensuelle dès votre arrivée.

— Non ! s'écria-t-elle.

Mais son déni était dénué de sens. Une fois de plus, elle était consumée par un désir avide. Elle voulait cet homme. Elle le voulait avec tant de violence que cela lui coupait le souffle. Et elle avait beau se haïr pour cela, elle ne pouvait pas s'en défendre.

Elle voulut le repousser d'une main mais elle sentit sous ses doigts son torse musclé et son geste de défense se mua comme malgré elle en caresse. Elle le regarda en tentant de se rappeler que Zak n'avait ni pitié ni sensibilité. Mais son esprit refusait d'obéir

— Vous prétendez toujours que vous voulez vous en aller ? dit-il d'une voix grave et follement sensuelle.

— Mais que faites-vous ?

— Ce que vous escomptiez me voir faire lorsque vous avez décidé de remplacer votre frère, dit-il en effleurant ses lèvres avec les siennes. Je prends ce qu'on m'offre librement quand rien ne m'empêche de le prendre. Vous l'avez offert dans le souk. Apprenez cependant que nous préférons, à Kazban, réaliser ces rencontres intimes derrière des portes bien closes.

Ainsi, il l'accusait d'avoir provoqué le baiser dans le souk ? pensa-t-elle. C'était pourtant lui qui avait plaqué sa main contre sa bouche, lui qui avait suscité sa caresse !

— Vous n'êtes pas au fait de la tradition, dit-elle. Le prince doit embrasser la princesse et la relâcher ensuite, non l'emprisonner...

Il s'empara de sa bouche avec emportement, tout en la gardant serrée contre lui et en glissant ses mains dans ses cheveux. Elle céda en gémissant, entrouvrant les lèvres pour livrer passage à sa langue, s'abandonnant aux sensations aiguës qui la traversaient.

Elle venait de pénétrer dans un monde inconnu où ne régnait plus que l'instinct et l'affolement de ses sens emballés. Elle laissa errer ses mains sur ses épaules viriles, oubliant la douleur de sa cheville pour l'attirer plus étroitement contre elle. Le désir la consumait tout entière.

Lorsqu'il s'arracha brusquement à sa bouche, elle vacilla, mortifiée d'être soumise à un homme qui correspondait si peu à son idéal, et cependant frustrée dans son désir. Effarée par l'effondrement de ses inhibitions, elle baissa la tête. S'il ne s'était pas interrompu, elle aurait accepté n'importe quoi pour...

Seigneur ! Comment avait-il réussi à lui faire oublier qu'elle était sa prisonnière ?

Consternée, incapable de réagir de façon sensée, elle parvint enfin à dire d'une voix étranglée :

— Je suppose que je ferais bien de voir le médecin dont vous avez parlé.

Indifférent aux courbettes de ceux qui s'inclinaient sur son passage, Zak longea le couloir qui menait aux appartements de son père. En proie à une frustration intense, il aurait volontiers plongé dans la fontaine la plus proche pour apaiser l'excitation qui le dévorait !

Bon sang, que lui arrivait-il ? Dès l'instant où cette femme avait pénétré dans son bureau, il avait su qu'elle n'était qu'une fauteuse de troubles. Et pourtant, il s'était laissé dominer par le désir sensuel le plus puissant qu'il eût jamais ressenti.

Le mélange d'innocence et de passion qui caractérisait Emily l'avait dompté, lui, Zak al-Farisi, qui se flattait d'avoir sur lui-même un empire peu commun ! Dans le souk, pendant un court instant, il n'avait songé qu'à la douceur de cette chair féminine frémissant contre son corps, et si des cris n'avaient retenti, il se serait surpris à arracher sa robe et à la prendre dans la ruelle poussiéreuse de cette ville qu'il aimait et connaissait depuis sa plus tendre enfance.

Franchement, il n'aurait su dire ce qui l'humiliait le plus : désirer cette femme en dépit de ce qu'il savait d'elle, ou avoir perdu la tête au point de se livrer à une démonstration indécente en public ! Si on les avait vus...

58

Il parvint devant les appartements de son père, et les gardes tombèrent à genoux sur son passage, non sans enregistrer avec nervosité son expression sombre. « Ce n'est qu'une attirance passagère », se dit-il en gagnant le salon particulier de son père.

Malgré son regard innocent et son air naïf, Emily Kingston n'avait rien d'une vierge effarouchée. C'était elle qui avait effleuré ses doigts avec sa langue lorsqu'il avait voulu étouffer son cri de peur, elle encore qui l'avait imploré du regard, lui demandant de concrétiser le désir brûlant qui les consumait tous deux.

Pourquoi n'aurait-il pas pris ce qui était offert ? Cela ne changeait rien à sa décision ! Il était toujours résolu à ce que Peter Kingston rende compte de ses crimes. Si puissante que fût son attirance pour Emily, elle se limitait au domaine purement sensuel, et n'irait jamais au-delà.

Satisfait par cette analyse de la situation, il congédia les gardes d'un geste, et s'apprêta à discuter sérieusement avec son père des affaires de l'Etat.

— Cette cheville a besoin de repos, mademoiselle.

— Pardon ? dit Emily, qui n'avait pas écouté le vieux médecin.

Elle était trop occupée à ruminer l'arrogance de Zakour al-Farisi ! Il avait le culot de prétendre qu'elle avait projeté de le séduire alors que c'était LUI qui l'avait retenue contre son gré dans ce palais !

Elle ne put retenir un gémissement, à cette pensée, et le médecin parut soucieux.

— Mademoiselle ? Vous êtes rouge et votre pouls s'accélère. Est-ce que vous vous sentez mal ?

Si elle se sentait mal ? Elle était anéantie, oui ! Il lui semblait encore sentir sur sa bouche les lèvres brûlantes de Zak... Dire que cet homme portait de graves accusations contre Peter ! En plus, il la prenait pour une séductrice, avide de partager le même lit que lui !

Eh bien, les autres femmes étaient peut-être disposées à lui complaire, mais pour sa part, elle n'avait nulle intention de flatter son ego boursouflé !

Le médecin lui tâta le front, l'air de plus en plus perplexe.

— Je vous trouve bien agitée. Etes-vous sûre de n'avoir reçu aucun choc à la tête lors de votre chute ?

— Je vous assure que je me sens très bien.

— Je vous déconseille de marcher pour le moment, sinon, votre cheville pourrait se remettre à saigner.

Il lui adressa un sourire hésitant, et lui remit un flacon de comprimés.

— Voici un analgésique. Je vous suggère de dormir un peu.

Dormir ? pensa Emily. Mais comment le pourrait-elle ? Chaque fois qu'elle fermait les yeux, elle voyait une paire de superbes yeux noirs, un corps magnifique et tentateur...

Elle suivit du regard le médecin qui quittait la pièce, et poussa un soupir de soulagement. Enfin seule ! Elle se rapprocha du bureau à cloche-pied pour décrocher le téléphone. Elle devait à tout prix joindre Peter !

Elle devait quitter ce palais, et s'il fallait pour cela qu'elle supplie son frère de venir, eh bien, elle le ferait ! Il ne l'aurait pas envoyée ici, s'il avait réellement su quel homme était le prince, n'est-ce pas ?

— On appelle la cavalerie à la rescousse ? ironisa une voix, sur le seuil.

Elle laissa aussitôt retomber l'appareil. Puis elle se rappela que Zakour al-Farisi s'attendait à voir les femmes lui obéir au doigt et à l'œil. Eh bien, avec elle, il allait être déçu !

Elle fit volte-face pour le toiser avec colère, mais fut surprise de sentir fondre sa résolution. Lorsqu'elle posait les yeux sur lui, elle… elle ne pensait qu'à…

— Je téléphonais à Peter, dit-elle avec raideur. Puisque vous êtes décidé à me retenir jusqu'à son arrivée, eh bien, plus vite il sera là, mieux cela vaudra. Je n'ai aucune envie de m'attarder en votre compagnie.

Apparemment indifférent à cette annonce, le prince referma la porte et s'avança avec la grâce indolente d'un prédateur au repos.

— Mais je vous en prie, dit-il avec un geste ironique. Sentez-vous libre de lui téléphoner. J'aimerais beaucoup connaître ses projets, moi aussi. S'il n'a nullement l'intention de venir à votre secours, il va falloir que je décide de votre avenir. Si vous restez au palais, je devrai vous assigner une tâche.

— Si vous suggérez que je…

— Quoi donc ?

— Que je… que je rejoigne votre harem ou quelque chose du même genre…

— Mon harem ?

Elle vit flamber une lueur d'incrédulité, et peut-être même d'amusement, dans son regard noir. Mais il avait déjà recouvré son arrogance souveraine. Mortifiée et embarrassée, elle souhaita pouvoir disparaître sous terre !

— Si vous n'avez pas de harem, murmura-t-elle, je suis sûre qu'il y a assez de femmes prêtes à satisfaire le moindre de vos caprices, et je dois vous avertir que je ne vaux rien dans ce domaine.

— Dans la satisfaction de mes caprices ?

— En tout. Je ne suis pas faite pour la vie de harem.

Pourtant, tout en disant ces mots, elle se surprit à effleurer du regard la belle courbe de ses lèvres masculines. Elle ne pensa plus qu'au contact brûlant de sa chair sur la sienne, et les pointes de ses seins se raidirent.

— Vous apprendrez avec plaisir, dit-il de sa voix caressante, que je suis très large d'esprit en ce qui concerne les femmes que j'accueille dans mon harem.

Elle était convaincue qu'il se moquait d'elle, mais ne vit pourtant dans ses prunelles nulle trace d'amusement. Juste une approbation masculine sans fard.

Elle s'éclaircit la gorge avec nervosité. Il aurait mérité qu'elle lui assène une gifle ! Alors, pourquoi, au lieu d'agir ainsi, se sentait-elle défaillir, prise dans les rets d'un désir violent et inconnu d'elle ?

— Je me fiche de votre harem. Je vais téléphoner à mon frère.

— Je vous en prie, allez-y. Nous savons fort bien, vous et moi, qu'il ne sera pas au bout du fil. Mais je veux bien continuer encore un peu cette petite comédie. Vous jouez l'innocence à la perfection. Vous êtes très convaincante.

— Evidemment, je le suis ! Vous semblez me prendre pour une sorte de Mata Hari, mais je vous assure que rien n'est plus éloigné de la vérité…

— Oh, je suis certain que vous êtes l'innocence personnifiée, ironisa-t-il, cynique.

Désemparée, elle comprit qu'il ne la croyait pas. Il la prenait réellement pour une séductrice ! Elle ne savait trop si elle devait en être effrayée ou flattée.

Une seule chose était sûre : il fallait qu'elle rentre en Angleterre, le plus vite possible ! Elle décrocha le téléphone d'une main tremblante, en se demandant ce que répondrait

Peter quand il saurait que le prince la retenait prisonnière. Viendrait-il à Kazban ?

Elle se remémora son ton catégorique, lorsqu'il lui avait affirmé qu'il ne pouvait s'y rendre, et elle frémit d'appréhension, la main en suspens sur le récepteur.

Le prince haussa ironiquement les sourcils.

— Quelque chose vous dérange ? Vous craignez de parler à votre frère devant témoin ? Cela vous empêcherait de convenir d'une stratégie ?

D'un air de défi, elle décrocha l'appareil, pianotant résolument sur les touches. Elle colla le téléphone à son oreille et laissa s'égrener les sonneries, soumise au regard de Zakour al-Farisi qui la fixait d'un air énigmatique tandis qu'elle guettait une réponse.

Comme personne ne décrochait, elle conclut que Peter était à son bureau et en composa le numéro. Elle finit par obtenir sa secrétaire, mais leur brève conversation ne fit qu'ajouter à son trouble.

— Je ne comprends pas, murmura-t-elle en raccrochant et en passant une main désemparée sur son front soudain baigné de sueur.

Où était donc Peter ?

— Sa secrétaire dit qu'il l'a avertie par téléphone qu'il prenait trois semaines de vacances, mais il ne lui a laissé ni numéro ni adresse où le contacter.

Pourquoi Peter serait-il parti sans s'assurer qu'elle était rentrée de Kazban saine et sauve ?

— Comme c'est commode, railla le prince. L'exercice du pouvoir rend très soupçonneux, miss Kingston. Sachez que je ne me fie jamais aux apparences et que personne ne me mène en bateau !

— Qu'est-ce que vous insinuez, encore ? s'indigna-t-elle. Peter ne se dérobera pas à ses responsabilités, cela n'a jamais été son genre ! Il a dû décider de partir en vacances, ou…

Mais elle n'était pas convaincue par ses propres dires. Pourquoi Peter aurait-il pris des vacances au moment où son entreprise était en difficulté ?

Et pourquoi ne l'en aurait-il pas avertie ? Quelque chose clochait !

Elle se mordilla la lèvre avec nervosité, se creusant la cervelle pour trouver une explication plausible. Etait-il arrivé quelque chose de grave à Paloma, sa belle-sœur ? Ou alors, à Peter lui-même ?

Tout à coup, elle se sentit vraiment perdue. Peter était sa seule famille et, s'il avait de graves ennuis, elle se devait de l'aider. Il fallait à tout prix qu'elle rentre en Angleterre !

Morte d'inquiétude, au bord des larmes, elle regarda le prince et sentit sa combativité l'abandonner.

— Est-ce que cela a un rapport avec l'argent qu'il vous doit ?

— A vous de me le dire.

— J'aimerais en être capable. Mais j'ignore où il est, et j'ignore ce qu'il se passe, dit-elle, luttant pour ne pas s'effondrer. Je dois rentrer en Angleterre pour le découvrir. Vous devez me laisser retourner là-bas !

— Nous avons déjà établi que je n'en ferais rien tant que votre frère ne serait pas ici.

— Mais, puisque je n'ai même pas les moyens de le contacter pour le lui dire !

— Vous resterez ici ! Votre frère comprendra que votre plan a échoué et que vous êtes toujours à Kazban. Aura-t-il le courage de venir prendre votre place ? Je me le demande.

— Il n'y a aucun plan ! s'écria-t-elle, la gorge serrée. Ce que vous pouvez être soupçonneux !

— Je suis soupçonneux avec quelque raison, dit le prince. Alors, résignez-vous à rester ici.

Là-dessus, il la laissa désemparée et vaincue.

Emily clopina dans la chambre, ignorant sa cheville qui lui élançait.

L'appartement qu'on lui avait réservé était décoré avec un goût exquis et, en d'autres circonstances, elle aurait été émerveillée par la splendeur des lieux. Cependant, la situation étant ce qu'elle était, elle ne cessait de s'interroger sur le sort de Peter, et de ruminer sa propre captivité.

Pourquoi n'y avait-il pas moyen de faire entendre raison au prince ? Elle aurait juré que Peter avait des ennuis. Et elle aurait peut-être pu l'aider, si elle n'avait été retenue à Kazban !

Tandis qu'elle réfléchissait au moyen de se tirer de sa situation, elle perçut les cris et les pleurs d'un tout jeune enfant. Levant les yeux vers la camériste qui allait et venait dans la pièce, elle lui demanda :

— Aïcha, qui pleure ainsi ?

— C'est Jamal, madame, répondit en hésitant la servante. Le jeune neveu du prince. Il n'a que cinq ans, et il est très volontaire. Quelquefois, il fait de mauvais rêves. Les domestiques trouvent que c'est un enfant difficile.

Les domestiques ? pensa Emily comme les pleurs de l'enfant redoublaient. L'un d'eux allait certainement se décider à calmer le petit ?

— Et ses parents ? Comment le trouvent-ils ? demanda-t-elle à Aïcha.

La camériste adopta une attitude réservée.

— Sa mère est actuellement à l'étranger, miss Kingston. Elle aime voyager.

— Je vois, murmura Emily.

Tout ceci ne la regardait en rien, conclut-elle. Elle avait déjà bien assez d'ennuis comme ça à Kazban !

Mais de nouveaux pleurs, encore plus stridents que les précédents, s'élevèrent, et elle céda à l'attendrissement. C'était plus fort qu'elle, elle n'avait jamais pu laisser sangloter un enfant !

— Bon, très bien, lança-t-elle à Aïcha tout en se dirigeant vers le seuil. Qui s'occupe de lui, lorsque sa mère n'est pas là ?

— Le jeune prince a une nounou. Miss Kingston ! Vous ne devriez pas aller le voir ! Il est entre de bonnes mains…

— On ne dirait pas. Puisque personne ne semble disposé à le calmer, je m'en charge.

Se souciant peu de demander une permission, Emily longea le couloir, localisa la pièce d'où provenaient les pleurs et en poussa la porte. Elle repéra aussitôt une toute petite silhouette dans un énorme lit. Elle regarda autour d'elle, et ne s'étonna plus que le jeune prince eût des cauchemars : comment pouvait-on installer un enfant dans un endroit pareil ?

Les larmes du garçonnet redoublèrent, et la jeune fille qui s'occupait de lui, à bout de patience, se mit à le gronder. Au lieu d'arranger les choses, elle les aggravait !

— Cessez de crier, lui dit Emily sans élever la voix. Il ne faut pas gronder un enfant lorsqu'il est bouleversé !

— Mais il est intenable ! protesta la jeune fille, à bout de nerfs.

— J'espère bien qu'il l'est, à cinq ans, commenta Emily. Sinon, je m'inquiéterais à son sujet.

Jamal se mit à hurler de plus belle, et à trépigner dans son lit.

66

— Il a peur, il a besoin qu'on le cajole, reprit-elle en ôtant ses chaussures pour se hisser sur l'immense lit.

Il était si vaste qu'il n'y avait pas d'autre moyen de s'approcher du petit !

Une fois qu'elle fut confortablement installée, elle attira le garçonnet à elle sans tenir compte des coups de pied qu'il décochait dans le vide, puis, le serrant contre elle, elle lui parla doucement. Il finit par jeter un dernier hoquet et par s'abattre contre elle, épuisé.

— Eh bien ! Ça a dû être un sacré cauchemar ! commenta-t-elle en ramenant en arrière d'un geste doux les cheveux du garçonnet. Tu veux me le raconter ?

Jamal était tout rouge, et sa détresse faisait peine à voir.

— Les tigres, murmura-t-il. Plein, plein de tigres.

— Et qu'est-ce qu'ils faisaient, ces tigres ? continua-t-elle en le berçant.

— Ils couraient après moi. Ils voulaient me manger. Juste comme dans l'histoire.

— Quelle histoire ? demanda Emily, sourcils froncés.

— Celle que Yasmina m'a luc, lâcha Jamal en regardant sa nounou et en se blottissant contre Emily.

— Je vois, dit-elle, foudroyant la jeune fille du regard. Eh bien, il n'y a pas de tigres, ici, mais c'est plutôt sombre, tu ne trouves pas ? Il faut que tu aies une lampe, qui éclaire bien tous les recoins.

— Maman dit que les lampes c'est pour les bébés.

— Moi, j'aime bien avoir de la lumière, la nuit. Est-ce que tu trouves que j'ai l'air d'un bébé ?

— Non, tu as l'air d'une princesse.

— Tu aimes les princesses ?

Jamal acquiesça, et elle sourit.

— Eh bien, je vais te dire ce qu'on va faire. Yasmina va t'apporter une lampe, et puis nous allons lire une autre histoire, tous les deux. L'histoire que je préfère.

— Il y a des tigres, dedans ?

— Pas du tout ! Il s'agit d'une princesse.

Le petit visage de Jamal s'éclaira.

— Est-ce qu'elle a des cheveux d'or, comme toi ?

— Oui.

— Bon, raconte.

Yasmina jeta à Emily un regard de défi.

— Le prince ne m'autorise pas à m'éloigner de Jamal.

— Parce qu'il ne vous a jamais entendue lui crier après, j'imagine. Vous pouvez vous en aller, j'en assume la responsabilité, dit Emily avec froideur.

Si le prince s'imaginait qu'elle allait laisser cet enfant entre les mains d'une nounou qui n'était bonne qu'à le terrifier, il se trompait !

— Apportez-moi donc une lampe et un verre de lait, avant de partir, ajouta-t-elle à l'adresse de la jeune fille.

Puis elle se tourna vers le garçonnet, et lui lança :

— Alors, tu es prêt ? Tu m'écoutes ?

5.

Depuis le seuil, Zak regardait les deux silhouettes réunies au creux du vaste lit. La conteuse et son auditeur étaient entièrement captivés par leur activité, et ni l'un ni l'autre n'avaient remarqué sa présence.

— Alors le prince dit : « Sauvez-moi, sauvez-moi », dit Emily d'une voix douce. La princesse escalada donc le mur et lui donna la clé qu'elle avait dérobée au garde.

Jamal écarquilla les yeux.

— Elle a tué le garde ?

— Tué ? Quelle horreur ! Non, pas du tout. La princesse est très bonne. Elle utilise des moyens bien plus astucieux pour obtenir ce qu'elle veut.

Zak eut un sourire cynique. Certes, pensa-t-il. Les femmes n'agissaient-elles pas toujours ainsi ? Un coup d'épée, c'était beaucoup trop direct, pour elles. Elles avaient recours à des méthodes plus retorses…

— Eh bien, je trouve que le prince n'est pas très courageux, dit Jamal. Pas comme mon oncle. Lui, c'est un vrai prince. Il n'a peur de rien.

Un léger sourire effleura les lèvres de Zak, à cette démonstration d'admiration inconditionnelle. Emily caressa gentiment la tête du petit, en objectant :

— Mais je suis sûre que même ton oncle n'utiliserait son épée que s'il y était obligé.

— Et la princesse de ton histoire, est-ce qu'elle a une épée ? demanda Jamal.

Le regard pétillant d'amusement, Emily répondit :

— La princesse a horreur de la violence. Elle utilise un pistolet à eau.

Zak faillit bel et bien éclater de rire avec elle.

Il avait projeté de régler la question de la nounou un peu plus tôt, mais son équipée dans le souk l'en avait retardé. Lorsqu'on l'avait informé que l'enfant sanglotait, il s'était apprêté à une longue et difficile soirée. Au lieu de cela, il découvrait son neveu paisiblement blotti dans les bras d'Emily Kingston.

Pour une surprise, c'en était une !

Tandis qu'il l'observait à son insu, elle restait nichée au creux du lit avec Jamal, contente et détendue, visiblement à l'aise avec le petit. Malgré lui, il contempla ses cheveux blonds déployés sur ses épaules, ses seins ronds, la courbe de ses hanches, et un accès de désir le traversa.

Elle portait toujours sa robe bleue, mais elle avait trouvé moyen de la raccommoder, va savoir comment. Il se rappela ses commentaires au sujet du harem, et sa tension virile monta de plusieurs crans. S'il avait *réellement* eu un harem, elle s'y trouverait à présent, allongée sur une couche, et il s'apprêterait pour sa part à une longue et satisfaisante nuit…

Jamal bâilla.

— J'aime bien ton histoire. Mais je trouve que le prince devrait sauver la princesse. Mon oncle n'aurait jamais besoin qu'on vienne à son secours, lui ! dit-il d'une voix ensommeillée.

Zak plissa les yeux en voyant sourire Emily.

— Vraiment ? murmura-t-elle. Eh bien, les princes ne se comportent pas toujours comme on l'attend. Parfois, ils vous surprennent.

— Je trouve la princesse très intelligente, murmura Jamal, dont les paupières se fermaient.

Emily se déplaça légèrement pour pouvoir rabattre sur lui la couverture. Puis elle resta près de lui à le caresser, jusqu'à ce qu'elle soit sûre qu'il était endormi.

Zak fut frappé de sa douceur avec l'enfant. N'ignorant pas que la plupart des gens avaient du mal à tenir son neveu, il était surpris de voir qu'elle l'avait calmé sans peine, et avait réussi à établir avec lui une véritable relation en un rien de temps. Mais ne savait-il pas déjà qu'elle était intelligente ?

Quand Jamal fut profondément endormi, elle se glissa à bas du lit, et Zak vit qu'elle était maintenant pieds nus. Seul le bandage qui enserrait sa cheville révélait l'agression qu'elle avait subie dans le souk. Avançant d'un pas rapide et silencieux, il reprit :

— Un pistolet à eau ?

Elle poussa un cri, portant la main à sa bouche pour tenter, trop tard, de l'étouffer.

— Vous m'avez fait une de ces peurs ! Surtout, ne le réveillez pas ! souffla-t-elle en jetant un regard inquiet du côté de Jamal. Il m'a fallu une éternité pour le calmer.

— J'en ai conscience, dit-il, remarquant que, sans ses talons, elle lui arrivait à peine à hauteur des épaules.

Elle paraissait aussi vraiment très jeune. Il se reprocha d'avoir de telles pensées, se rappelant qu'elle était complice d'un voleur, qu'elle avait la sensualité dans le sang. Elle était peut-être jeune. Mais naïve, sûrement pas !

— Si j'ai bien compris, continua-t-il, il a encore fait un cauchemar ?

— Ce n'est pas la première fois ? dit-elle en fronçant les sourcils. Eh bien, vous devriez commencer par renvoyer la nounou, elle est épouvantable !

— Elle a déjà donné sa démission.

— Vous pouvez vous en réjouir ! Elle lui a lu une histoire où un tigre mangeait des enfants ! s'indigna-t-elle, le foudroyant du regard comme s'il en était responsable. Et quand il pleurait, elle l'a grondé en hurlant. Il n'est pas surprenant qu'il ait peur du noir, cette fille lui flanque la frousse. Depuis combien de temps s'occupe-t-elle de lui ?

— Moins d'un mois, dit Zak, tendu.

— Un *mois* ? Et la précédente, combien a-t-elle tenu ?

— Deux semaines, dit-il, agacé de lire de l'amusement dans son regard. Cela n'a rien de drôle !

Elle pinça les lèvres de son mieux, mais il vit pourtant se dessiner des fossettes au coin de ses lèvres.

— Je ne suis pas de votre avis. Lorsqu'un gamin de cinq ans mène toute une maisonnée à la baguette, c'est comique.

— Jamal est un enfant difficile.

— Bien sûr, murmura-t-elle en coulant un regard du côté du petit dormeur. Si je changeais de nounou toutes les deux semaines, je serais infernale.

— Que voulez-vous dire ?

— Les enfants ont besoin de stabilité. Et Jamal se trouve dans une situation d'insécurité permanente. Il est normal qu'il fasse des mauvais rêves.

— Et vous avez trouvé ça en un soir ? s'agaça Zak, peu accoutumé à être mis en position de subir des critiques. Jamal a de nombreux parents au palais et des gardes presque à chaque porte : il ne peut guère se sentir menacé.

Blessé qu'on puisse implicitement critiquer sa famille, il la toisa en croisant les bras. Elle lui retourna son regard sans ciller.

— Les enfants ont besoin d'établir un lien avec une personne en particulier. Quant à la cause de sa peur, c'est son imagination, pas la réalité. J'ai effectivement compris tout cela en une soirée. J'ai l'habitude de m'occuper d'enfants de son âge, c'est mon métier. Et je suis très compétente. Plus que cette nounou qui l'a terrorisé.

Réalisant en un éclair qu'Emily Kingston avait peut-être plus de consistance que ce que son apparence donnait à croire, Zak capta son regard accusateur et sentit sa tension s'accroître.

— C'est sa mère qui choisit ses nounous, souligna-t-il.

— C'est elle aussi qui le laisse seul, je suppose ? conclut-elle, agacée.

Elle eut cependant la grâce de rougir, et de concéder :

— Veuillez m'excuser, ce ne sont pas mes affaires.

Zak garda un long moment le silence. Puis il décida qu'il ne pouvait défendre ce qui était indéfendable.

— Vous avez raison, admit-il d'une voix tendue. Ma belle-sœur n'a jamais assumé comme il convient ses responsabilités maternelles. Et je ne suis pas intervenu autant qu'il l'aurait fallu.

Il avait pour cela d'excellentes raisons ! Il passa une main sur son front, en se demandant ce qui le poussait à révéler ses affaires de famille à une parfaite étrangère. Il vit passer une expression intriguée sur son ravissant visage.

— Pourquoi devriez-vous intervenir ? Vous n'êtes pas le père de l'enfant. C'est la responsabilité de votre frère, il me semble.

— Mon frère est mort, miss Kingston.

Elle parut choquée, et il masqua avec soin ses émotions. Cette conversation était allée beaucoup trop loin !

— Je suis désolée. Pauvre Jamal. Je vous plains aussi, vous avez perdu votre frère.

« Je vous plains ? » Personne, depuis la mort de son frère, n'avait osé lui adresser des paroles d'une nature aussi personnelle. Zak se crispa, luttant contre l'émotion qui montait en lui et qu'il avait refoulée jusque-là. Cette femme ne savait rien des circonstances de la mort de Rachid, et il n'avait certes pas l'intention de les lui confier !

— Ce n'est pas un sujet à aborder, dit-il d'un ton sans réplique.

Mais elle continua à le dévisager avec ses grands yeux bleus, ce qui avait pour effet de le déconcerter. Tous les autres s'inclinaient ou baissaient les yeux en sa présence. Elle, elle oubliait de le faire, ou s'y refusait. Cela avait quelque chose d'étrangement rafraîchissant.

— Je sais qu'il est dur de perdre quelqu'un qu'on aime, dit-elle.

— Avant de vous attendrir sur ce que vous ignorez, je vous avertis qu'il est mort alors que Jamal était tout jeune. Mon neveu n'a pas vraiment pu ressentir sa disparition comme une perte.

— C'est de *votre* deuil que je parlais.

Mal à l'aise, il déclara :

— Je n'ai ni envie ni besoin de votre sympathie.

— Certes. Les hommes ne savent pas se laisser aller à leurs émotions.

— Il convient de savoir se tenir. Et je ne souhaite pas poursuivre cette conversation, dit-il.

Puis, s'empressant de passer sur un terrain moins instable :

— Puisque vous êtes une experte, si vous me disiez quoi faire au sujet de ces cauchemars ?

— Eh bien, tout d'abord, il faut l'installer ailleurs. Cette pièce ne convient pas du tout à un enfant qui fait des cauchemars. Il n'est pas étonnant qu'il ait peur, ici. C'est… gigantesque. Il y a des tas de recoins, avec des ombres inquiétantes. Il devrait avoir une chambre clair et gaie, avec des animaux peints sur les murs. Et une bonne lumière pour bien éclairer les objets au lieu de les déformer.

Pour la première fois, Zak regarda autour de lui, s'efforçant de considérer le décor du point de vue d'un enfant.

— C'est sa mère qui a choisi cet endroit.

— La taille d'une pièce reflète-t-elle le statut de la personne qui l'occupe ?

« Elle a le sens de l'observation ! » pensa Zak. Certes, c'était pour sa superficie que sa belle-sœur avait choisi cette pièce, et non parce que Jamal y serait bien ! Danielle ne raisonnait qu'en termes de pouvoir et de privilèges.

Prenant d'emblée une décision, il déclara :

— Très bien, il changera de chambre dès demain. C'est vous qui choisirez la nouvelle.

— Moi ?

— Pourquoi pas ? Vous êtes qualifiée, dites-vous. Et Jamal vous a déjà prise en affection.

— Eh bien… Soit, c'est entendu. Et pendant que vous y êtes, autant engager une nounou convenable.

Il la regarda d'un air songeur, comme une idée se formait dans son esprit.

— Puisque vous savez si bien ce dont Jamal a besoin, vous pouvez remplir ce rôle en attendant, dit-il, satisfait d'avoir la solution d'un problème qui le tracassait depuis quelque temps.

Emily Kingston n'était peut-être pas recommandable sur le plan moral, mais on ne pouvait nier qu'elle s'était très bien occupée de Jamal, ce soir.

— Moi ? s'exclama-t-elle, effarée. Mais ce n'est pas possible ! Dès que Peter arrivera, je rentrerai !

— Nous avons déjà établi qu'il ne viendra pas, je crois, dit-il avec un sourire. Vous craignez sans doute que le fait d'être responsable de mon neveu ne contrecarre vos plans d'évasion ? Que projetez-vous pour demain ?

Il avança vers elle, et nota qu'elle avait le souffle court, que ses lèvres s'étaient entrouvertes.

— Vous comptez utiliser un pistolet à eau aux premières heures de l'aube ?

Elle le foudroya du regard, mais il vit qu'elle avait rougi et que ses yeux étaient rivés à ses lèvres. Elle se remémorait le baiser. Et lui aussi...

Une vague de désir le souleva et seule la présence de Jamal le retint de céder à la tentation. Bon sang ! pensa-t-il, frustré. Etait-il voué à n'avoir d'échanges avec cette femme qu'en public ?

Il laissa errer son regard sur son visage, ses lèvres... Cela lui faisait horreur de désirer une femme corrompue. Et pourtant, son corps s'obstinait à ignorer le jugement de sa raison. Cela prouvait du moins une chose : qu'il était encore capable d'éprouver des émotions — fussent-elles uniquement sensuelles...

Il avait toujours eu un appétit sexuel affirmé, et Emily Kingston le désirait, en dépit de ce qu'elle s'obstinait à lui faire croire. Tout en elle exprimait le trouble sensuel. Il vit qu'elle s'empourprait et songea : « Comment fait-elle ? Comment parvient-elle à paraître si pudique et si innocente alors que son calcul est de me séduire ? »

— Je suis désolée de ne pouvoir vous aider à régler la question de la nounou, balbutia-t-elle, mais je dois retourner auprès de mon frère.

— Vous ignorez où il se trouve. Alors, à quoi bon songer à quitter Kazban ?

Elle sembla hésiter, et leurs regards se rivèrent l'un à l'autre. De nouveau, un courant sensuel passa entre eux, enflammant leurs sens…

S'assurant d'un coup d'œil que son neveu était profondément endormi, il attira Emily entre ses bras et écrasa sa bouche sur la sienne. Elle entrouvrit aussitôt les lèvres pour accueillir un baiser profond et se lova contre lui. Alors, en un éclair, il s'embrasa tout entier. Lui saisissant le visage à deux mains, il lui délivra une caresse ravageuse, la faisant frémir et quêter d'autres délices, telle une sirène tentatrice…

Un son étouffé provenant du lit lui rappela brutalement où il se trouvait, et il s'écarta, effaré par son propre écart de conduite.

La voyant ondoyer vers lui, le regard empreint de désir, il dut faire appel à toute la force de sa volonté pour ne pas céder à cette invite. Domptant à toute force des émotions qu'il n'avait pas ressenties depuis l'adolescence, il tourna les talons, en maudissant Peter Kingston d'avoir mis les pieds à Kazban.

Emily reposa le récepteur du téléphone d'une main tremblante. Toujours pas de réponse à l'appartement de Peter ! Et elle ne savait toujours pas pourquoi son frère était parti sans dire à personne où il allait. Cela lui ressemblait si peu ! Elle commençait à se demander si elle le connaissait vraiment…

Rongée d'inquiétude, elle se planta devant la fenêtre et son regard songeur se perdit dans le vague. Soudain, elle fronça les sourcils, prenant conscience du remue-ménage dans la cour en contrebas. L'étalon noir du prince donnait des ruades de côté et d'autre faisant détaler sur son passage les domestiques.

Tandis qu'elle assistait, figée, à ce manège, elle aperçut soudain une petite silhouette dans un coin de la cour, qui s'avançait en direction du cheval, mains tendues vers l'animal. « Oh, mon Dieu, Jamal ! » pensa-t-elle. Envahie d'un pressentiment funeste, elle se tourna vers la jeune femme qu'on lui avait envoyée pour lui proposer une sélection de vêtements.

— Vite ! Comment se rend-on dans cette cour ? demanda-t-elle.

Il fallait à tout prix qu'elle arrive avant que le petit soit tué ! La servante la regarda avec nervosité puis, se décidant d'un coup, l'entraîna vers le seuil pour lui désigner un escalier.

— En bas, il y a une porte qui donne sur la cour, dit-elle.

Mue par la peur, Emily s'élança au pas de course. De toute évidence, aucun des serviteurs n'oserait approcher l'étalon surexcité. Aucun n'empêcherait donc Jamal de se jeter sous les sabots du cheval !

« Sahara faisait encore des siennes ! » pensa Zak, contemplant avec un mélange d'amusement et d'exaspération le spectacle qu'offrait son étalon favori, échappant aux tentatives de capture des lads de l'écurie.

L'un d'eux avait dû, une fois encore, mal refermer la porte de sa stalle. Quoi qu'il en soit, Sahara se déchaînait dans la cour et personne ne parvenait à l'arrêter.

Songeant qu'il devait ramener l'étalon dans le haras où il pouvait galoper tout à son aise, il se décida à descendre avant que quelqu'un ne soit blessé. Abandonnant les paperasses accumulées sur son bureau, il se leva d'un mouvement souple mais se figea presque aussitôt : son jeune neveu se dirigeait vers le cheval ! Rivé sur place, Zak attendit que l'un des serviteurs arrache l'enfant au danger encouru, mais ils discutaient avec nervosité, trop préoccupés par leur propre sauvegarde pour se porter au secours de Jamal.

Gagné par la peur, Zak s'apprêta à assister à un accident horrible : il savait que, si vite qu'il pût agir, il n'atteindrait jamais le petit à temps. Et puis il vit une autre silhouette surgir dans la cour, sa longue chevelure blonde flottant au vent. Sans l'ombre d'une hésitation, Emily happa Jamal entre ses bras et alla le confier aux bras d'un domestique qui se tenait à distance prudente.

Zak se surprit à respirer plus librement. Jamal était sain et sauf !

Son pouls revenant peu à peu à la normale, il s'attendit à ce que Emily réintègre l'intérieur du palais. Mais au lieu de cela, elle s'adressa au domestique qui portait son neveu, et attendit qu'il eût emmené le petit à l'abri. Puis elle se tourna vers l'étalon, avec une intention évidente.

Zak laissa échapper une imprécation sourde. Loin d'être réglée, la situation redevenait critique. Sahara était maintenant surexcité et particulièrement dangereux. Et cette fois, c'était Emily, la victime potentielle.

Tendu, le souffle en suspens, il la vit approcher l'animal. N'avait-elle donc aucune conscience du danger ? Personne, sauf lui, n'était jamais parvenu à dompter Sahara !

Cette fois, Zak s'élança, et parvint dans la cour en un temps record. Mais pas assez vite, cependant, pour empêcher Emily Kingston de se diriger vers l'étalon.

Il serra les mâchoires, se retenant de lancer un ordre, de crainte de surprendre Sahara. Et il frémit en songeant aux blessures qu'un étalon déchaîné pouvait infliger au fragile corps d'une femme… Certes, il n'appréciait guère Emily Kingston. Mais il ne voulait pas avoir sa mort sur la conscience !

Jurant à voix basse, il délivra le plus proche garde de son fusil, et pria le ciel de n'avoir pas à abattre lui-même l'étalon qu'il avait élevé et dressé. S'il y était contraint, eh bien…

Ignorant les lads paniqués, Emily s'avança lentement, en parlant au cheval comme s'ils étaient amis. Zak vit la tension de Sahara, et l'air soupçonneux avec lequel il regardait Emily. Elle était maintenant si près de l'étalon que le moindre rien pouvait provoquer un drame, et Zak lui-même se retint de bouger tandis qu'elle avançait, en continuant de parler d'une voix apaisante.

— Gros vilain, lui disait-elle avec calme, a-t-on idée de faire peur aux gens comme ça ? Il va falloir que tu apprennes à te comporter autrement, si tu veux te faire des amis.

Les doigts de Zak se refermèrent sur la détente. Sahara allait sans doute céder à son instinct naturel, qui consistait à agresser tout ce qui tentait de l'approcher. Mais au lieu de cela, il émit un hennissement, puis donna un petit coup de museau à Emily.

Elle sourit, et le laissa la flairer.

— Tu n'auras rien à manger parce que tu n'as pas été sage, lui dit-elle en lui flattant l'encolure. Mais quand tu auras de bonnes manières, je te donnerai une gâterie.

Sahara hennit de nouveau, et Zak lâcha un curieux soupir. Il n'en revenait pas qu'elle eût échappé à la mort ! Avec un étonnement sans nom, il la vit étendre la main et caresser longuement son indomptable étalon. Bon sang ! Cette femme était donc une sorcière ?

Personne, en dehors de lui, n'avait jamais pu approcher Sahara. Et voilà qu'elle lui caressait l'encolure en lui parlant comme à un âne ! Zak ne put retenir une sorte de ricanement. Non contente d'exercer son pouvoir sur lui, Emily Kingston tentait maintenant de séduire son cheval !

Et le charme semblait opérer, de surcroît ! Le cheval s'était détendu et se laissait docilement faire.

— Tu es si beau, murmura-t-elle. Un jour, je vais te monter.

Zak sentit monter en lui la colère, maintenant qu'il était soulagé et que personne n'était blessé.

— N'y songez pas une seconde ! dit-il froidement en flanquant le fusil dans les bras du garde et en s'avançant vers elle. Que cherchiez-vous ? Quitter ce palais en ambulance ? Ou bien ce petit numéro de bravoure est-il destiné à m'extorquer votre liberté ? C'est encore un tour de votre part ?

— Un tour ? dit-elle, interloquée. Vous croyez que j'ai poussé Jamal vers ce cheval pour pouvoir lui sauver la vie après ? Vous êtes cinglé ?

— Je vous crois capable de tout pour obtenir votre libération, lui assena-t-il. Et il me semble qu'un bon moyen de l'obtenir serait de faire de moi votre débiteur.

— Cessez de raisonner en businessman et réagissez en être humain, pour une fois, lui répliqua-t-elle d'un ton aussi glacial que le sien. Jamais je ne mettrais un enfant en danger !

— Pour quelle raison risqueriez-vous votre vie pour un enfant qui ne vous est rien, sinon par calcul personnel ?

Elle le dévisagea d'un air interdit, puis finit par répondre d'une voix rauque :

— Parce que je me sens tenue d'intervenir pour sauver une vie, si je le peux.

— Donc, il vous importe peu que je sois maintenant votre débiteur ?

— Vous n'avez aucune dette envers moi, lui dit-elle en le regardant dans les yeux. Ce n'est pas pour vous que j'ai agi ainsi. En fait, je ne pensais nullement à vous lorsque je l'ai fait, si vous voulez le savoir !

Elle était si scandalisée que, pour la première fois, Zak se sentit vaciller dans ses certitudes au sujet de cette femme. Mais, en lui prêtant foi, il aurait admis qu'elle avait accompli un acte totalement désintéressé. Et il savait que peu de femmes — voire aucune — en étaient capables. Sûrement pas Emily Kingston, en tout cas ! Il voulait bien admettre qu'elle n'avait pas provoqué cet incident. Mais il était convaincu qu'elle avait choisi d'en tirer parti !

— Vous voulez que je vous dise ? dit-elle soudain en plantant ses mains sur ses hanches, provoquant un mouvement de tête inquiet de Sahara. Tôt ou tard, Peter vous rendra ce qu'il vous doit. Et vous serez obligé de reconnaître que vous avez tort. J'ai hâte d'entendre vos excuses !

Exaspéré d'être ainsi mis au défi, et confronté à une affirmation que ne venait étayer aucune preuve, Zak fut soulevé d'un élan de colère irrépressible.

D'un geste impérieux il congédia les domestiques et les lads, réservant pour plus tard le soin de fustiger comme il convenait leur lâcheté. Tandis qu'il allait enfermer l'étalon dans sa stalle, il pensa que, décidément, la comédie avait assez duré !

Il emprisonna entre ses doigts le mince poignet d'Emily Kingston, et jeta :

— Suivez-moi. Nous allons en finir séance tenante !

6.

En finir ? Mais de quoi Zak parlait-il donc ?

Emily dut pratiquement se mettre à courir pour soutenir son allure, tandis qu'il longeait d'un pas rapide les couloirs du palais. Enfin, ils atteignirent son bureau et il l'entraîna à l'intérieur.

Stupéfaite par son comportement, elle le dévisagea, gagnée par une sorte de fébrilité.

— Qu'est-ce qu'il y a ? s'enquit-elle.

— Il y a qu'il est grand temps de cesser ce petit jeu, miss Kingston. Vos dénégations répétées me font offense !

Il prit une liasse de documents et les lui tendit.

— Tenez, lisez ! Qu'on en finisse avec cette mascarade ! Vous cesserez peut-être de prétendre que vous ne savez rien et que la vie est un beau conte de fées.

Saisie d'un obscur pressentiment devant son expression sombre, Emily prit les feuillets qu'il lui tendait. Puis, lentement, elle prit connaissance de leur contenu avec un sentiment de peur croissante.

Que signifiait donc tout ceci ? Des pages et des pages de chiffres s'alignaient devant elle, mêlés d'un jargon juridique qu'elle ne comprenait pas. Elle reprit le tout depuis le début, en se concentrant de son mieux sur les passages importants. Puis elle trouva un résumé et le lut.

— Non…, murmura-t-elle en atteignant la fin de ce rapport, tandis que les feuilles, lui échappant des mains, s'éparpillaient à terre. Ce document dit que mon frère a détourné l'argent et qu'il n'a jamais investi un seul sou.

— C'est exact, dit Zak, l'observant avec acuité avant de recueillir les feuilles éparses. Puisque vous voyez que je connais la vérité, je vous suggère de renoncer à votre comédie de l'innocence. J'apprécie hautement l'honnêteté, et vous n'en avez guère fait preuve jusqu'ici.

Trop choquée par ce qu'elle venait de découvrir, Emily prit à peine garde à ce qu'il lui disait. Peter avait *pris* l'argent ?

— Huit millions de livres sterling, murmura-t-elle comme pour elle-même. Il a pris huit millions de livres !

Elle se sentit vaciller sur ses jambes et prit appui sur le bureau, quêtant un soutien solide. Comme dans un rêve, elle passa en revue les données dont elle venait de prendre connaissance, en s'efforçant de les faire cadrer avec ce qu'elle savait de son frère.

— *J'ai besoin de temps, Emily…*

— *Si je vais là-bas, Emily, je serai jeté en prison…*

— Oh, mon Dieu ! murmura-t-elle, saisissant soudain la raison de sa peur. Il a pris l'argent et il l'a perdu.

Et, en réalisant cela, elle tomba évanouie pour la première fois de son existence.

Comment les femmes se débrouillaient-elles pour perdre connaissance chaque fois qu'elles se trouvaient dans une impasse ? pensa Zak, impatienté. Leur apprenait-on cela au lycée ?

Il se pencha pour soulever Emily dans ses bras, tentant d'ignorer les courbes pleines de son corps tandis qu'il l'emmenait vers le divan. Cette fois, elle était inerte, et ses cheveux blonds se répandaient en cascade sur son bras. Elle était livide, et il eut un accès d'inquiétude.

Puis il se remémora les talents de sa belle-sœur, qui avait le don de s'évanouir sur commande pour parvenir à ses fins. De toute évidence, Emily Kingston avait encore perfectionné cet art ! Mise dans l'impossibilité de nier sa connaissance des faits, elle était contrainte à improviser d'autres moyens d'échapper à sa responsabilité.

Elle battit des paupières, rouvrant les yeux, et il plongea son regard dans ses prunelles bleues, obscurcies par l'anxiété. Allongée sur son sofa, elle semblait si menue, si délicate !

Une fois de plus, il lutta contre la tentation de la réconforter. Heureusement, les cicatrices du passé étaient là pour l'exhorter à la prudence, et il recula d'un pas. Il n'était tout de même pas stupide au point de se laisser abuser par les étourdissants talents de comédienne de cette femme !

Au lieu de quoi, il appela les domestiques pour leur demander d'envoyer un médecin dans son bureau. Un homme de l'art confirmerait certainement qu'elle n'était qu'une simulatrice !

Il y eut une certaine agitation dans la pièce, et le médecin reparut, tandis que Zak arpentait la salle avec impatience. Les minutes s'égrenèrent, et le médecin poursuivit son examen. Bon sang ! Combien de temps lui fallait-il pour détecter la supercherie ?

Finalement, le médecin se leva, l'air troublé.

— Elle a, de toute évidence, subi un choc assez rude, dit-il, détaillant les résultats de son examen clinique.

Zak l'écouta avec une irritation croissante, pendant qu'il suggérait de laisser Emily Kingston au repos sur ce sofa durant quelques heures, et ordonnait de ne la bouger sous aucun prétexte.

Il foudroya le vieil homme du regard, en tentant de se remémorer les états de service qui avaient bien pu le persuader de l'affecter au soin de la famille royale ! Cet homme suggérait-il réellement que l'accès de faiblesse de cette comédienne était authentique ?

Emily se redressa avant qu'il ait pu adresser la parole au médecin, et assura d'une voix encore faible :

— Je me sens bien, vraiment, ça va aller. Je suis désolée de causer tant de soucis.

Le médecin lui tapota le bras, la réconfortant d'un sourire, et l'exaspération de Zak s'accrut. Il était donc le seul à voir clair ? Certes, elle avait reçu un choc ! Elle venait de découvrir qu'il détenait des preuves contre son frère. Et qu'elle ne pouvait plus tenter de lui faire accroire qu'elle ignorait tout du vol.

Une cameriste plaça près d'elle un plateau avec de l'eau, du café fort et des dattes. Mais elle se contenta de fixer le tout d'un air interdit avant de lever les yeux vers lui.

— Je… il faut que je vous parle, murmura-t-elle.

Il eut un sourire cynique. Il ne doutait pas qu'elle ne veuille s'entretenir avec lui, en effet ! Elle avait eu le temps, grâce à sa petite supercherie, de méditer une autre stratégie, et elle était maintenant prête à le manipuler !

Songeant aux baisers torrides qu'ils avaient échangés, et aux regards chargés de désir qu'elle lui avait lancés, il anticipa une « proposition indécente ». Et son corps réagit aussitôt, vibrant d'excitation.

Décidant que leur entretien devait se dérouler en privé, Zak congédia les domestiques et le médecin. Puis, une fois que tout ce monde eut disparu et que la porte de la salle fut close :

— Vous devriez peut-être vous désaltérer un peu, suggéra-t-il. Vous êtes un peu pâle.

Elle ne parut pas prendre garde à son intonation sarcastique.

— Je serais bien incapable d'avaler quoi que ce soit. Je ne m'étais jamais évanouie. Je ne comprends pas ce qui s'est passé.

— C'est une échappatoire commode, insinua-t-il.

— Vous pensez que je l'ai fait *exprès* ?

— Voici moins d'une heure, vous aviez assez de nerf pour vous élancer sous les sabots de mon étalon, souligna-t-il sans indulgence — et il la vit pâlir avec satisfaction. Franchement, je songe à avoir recours à vos astuces pour esquiver certaines réunions du conseil. Elles sont d'un ennui, parfois !

Il y eut un long silence, comme elle le dévisageait d'un air incrédule et songeur. Puis elle demanda :

— Qui était-elle ?

Démonté par cette réaction, il s'enquit prudemment :

— Comment ça ? Qui donc ?

— La femme qui vous a rendu si cynique.

Ignorant les instructions expresses du médecin, elle parvint à se lever et vacilla légèrement — non sans élever une main pour l'arrêter, alors qu'il faisait machinalement un pas pour la soutenir.

— Vous croyez que tout le monde vous joue une comédie retorse pour vous tromper, continua-t-elle. Pour ma part, je ne joue à aucun jeu, Votre Altesse. Alors, gardez vos distances. Tout prince que vous soyez, il n'y a pas une once de bonté en vous. Ne m'approchez pas !

Se remémorant sa réaction passionnée la dernière fois qu'il l'avait prise dans ses bras, il lui lança avec un regard railleur :

— Vraiment, vous ne voulez pas que je vous approche ?

— Non ! dit-elle en se tournant vers le sofa pour s'y appuyer. Et si c'est au baiser que vous pensez, eh bien, disons que vous m'avez surprise dans un moment de faiblesse et que vous embrassez bien. Ce n'est pas la pratique qui vous a manqué !

Zak serra les mâchoires. Nom d'un petit bonhomme ! Elle parvenait à lui insuffler un sentiment de culpabilité !

— S'il ne s'agissait que d'un baiser. Mais il y a eu bien autre chose !

— Revenons à Peter, dit-elle en continuant de le fixer d'un air accusateur. Vous étiez au courant, n'est-ce pas ? Vous saviez qu'il avait détourné l'argent.

— Evidemment, je savais ! C'est pourquoi je l'ai convoqué ici. Et c'est la raison pour laquelle il vous a envoyée à sa place ! Vous saviez…

— Non !

La vigueur de son déni le mit sur les nerfs. Il était accoutumé à ce que chacun s'incline et prévienne ses moindres désirs. Et voilà qu'elle discutait et le mettait au défi ! Inouï !

— Non, je n'en savais rien, soutint-elle avec dignité. Je pensais que mon frère avait effectué des investissements infructueux, et qu'il rendrait bientôt ce qu'il devait. Je vous l'ai dit !

Mais il ne l'avait pas crue alors. Et il ne la croyait pas davantage à présent.

— Votre frère a travaillé quelque temps dans une banque de Kazban, reprit-il après un temps de silence. Il a convaincu d'honnêtes citoyens de lui confier leurs économies pour les investir dans des stock-options. Il était censé le faire en leur nom, spécifia-t-il en se demandant pourquoi il lui précisait ce qu'elle ne devait savoir que trop bien. Mais au lieu de cela, il a pris l'argent.

Elle le dévisagea d'un air horrifié.

— C'était donc ça que vous vouliez dire, murmura-t-elle en hochant lentement la tête, lorsque vous avez dit qu'une famille pouvait mourir de faim. C'était ça.

Oh, bon sang ! Pourquoi ne reconnaissait-elle pas qu'elle était au courant ?

— Vous saviez qu'il avait volé les économies de nos citoyens…

Elle se laissa tomber sur le divan, et serra les poings.

— Il m'a dit que c'était *à vous*. Il m'a dit qu'il avait fait des placements en votre nom…, murmura-t-elle d'une voix à peine audible.

Il fronça les sourcils.

— C'est ce qui a fini par se produire, d'une certaine façon. Ces gens auraient souffert, si je n'étais intervenu. J'ai choisi de payer la dette de votre frère.

— Je suis sûre que vous êtes un saint, dit-elle.

Guère accoutumé au sarcasme lorsqu'il était délivré à son encontre, il chercha une réponse appropriée.

— J'ai essayé d'agir de façon honorable, dit-il.

— Ah, parce que vous parlez d'honneur ? Vous m'avez accusée d'un crime que je n'ai pas commis. Vous avez pensé que j'étais au courant de cette dette. Vous m'avez cru complice de je ne sais quelles manigances pour couvrir les faits et échapper aux responsabilités !

Zak inclina la tête tandis que ses hautes pommettes s'empourpraient sous son hâle. C'était sa conviction, en effet ; et de plus, c'était la vérité. Alors, pourquoi répugnait-il à l'admettre ? Et elle, pourquoi dardait-elle sur lui ce regard accusateur ?

Elle ferma un instant les paupières, et il crut voir perler des larmes sous ses cils. Cependant, lorsqu'elle rouvrit les yeux, elle posa sur lui un regard clair et franc.

— J'ignore où Peter se trouve, mais je suis certaine qu'il y a une explication à tout ceci. Peter est bon et droit, et il n'a jamais rien volé à personne !

Zak la dévisagea d'un air interdit et presque admiratif. Il fallait au moins reconnaître une chose : à défaut d'être honnête, elle était loyale ! Elle défendait son frère jusqu'au bout ! Alors qu'il n'aurait pu en dire autant *du sien*…

— Je comprends que vous ne m'ayez pas autorisée à partir, dit-elle dans un souffle, livide. Il s'agit d'une somme énorme. Je n'aurais jamais pensé… Dites-moi, pourquoi a-t-il eu besoin d'autant d'argent ? Qu'en a-t-il fait ? Vous le savez ?

— Pas encore, lâcha-t-il en la considérant d'un air songeur.

— Mais ça viendra, dit-elle avec un rire sans humour. Vous avez lancé des gens à sa recherche, n'est-ce pas ?

— Huit millions de livres, ce n'est pas rien. J'ai mis des gens sur sa piste dès l'instant où vous avez atterri à sa place sur notre sol.

Elle admit avec un sourire douloureux :

— Et je ne saurais vous en vouloir. Cela représente une fortune.

Puis, après être restée pensive un instant :

— Peter a pris l'argent et, comme il craignait de vous affronter pour une raison qui m'échappe, il m'a chargée de le remplacer. C'est un tort de sa part. Et je comprends que vous m'ayez cru sa complice.

— Parce que vous prétendez ne pas l'être ?

Il sentait vaciller ses convictions, en voyant son évidente détresse. Comme si elle se parlait à elle-même, elle murmura :

— Mais à quoi Peter songeait-il ? Il m'a seulement dit que les placements n'avaient pas bien rapporté...

— Il n'a pas fait de placements !

— Oui, c'est ce que je commence à comprendre... Nous vous devons une énorme somme d'argent. Et nous ne pouvons pas vous en rembourser le premier sou.

Nous ? Elle acceptait enfin d'être responsable de la dette de son frère ?

Elle semblait terriblement vulnérable, et Zak se raidit. Peu importait qu'elle ait su ou non ce que son frère avait fait. C'était l'avenir qui comptait, maintenant. Il contempla ces immenses yeux bleus, cette bouche pulpeuse, ces seins ronds qui se soulevaient sous le tissu... Et soudain, il prit sa décision.

— Je sais comment vous pouvez me restituer mon dû, lâcha-t-il avec l'arrogance suprême d'un homme qui offre la lune. Vous allez m'épouser.

Emily demeura figée sur le sofa, en état de choc.

Elle s'efforça de trouver un sens rationnel à ce qu'elle venait d'entendre, n'y parvint pas, et fit :

— Pardon ?

— Vous allez m'épouser, répéta-t-il d'un ton impatienté, en homme qui n'a guère l'habitude des redites. C'est une solution parfaite pour tout le monde.

Incapable de s'expliquer son air de satisfaction sauvage, le cœur battant la charge, elle demanda :

— Mais pourquoi voudriez-vous m'épouser ?

— Il me faut une femme, énonça-t-il avec calme. Il est grand temps que j'en prenne une. Ce serait un arrangement d'affaires, bien entendu.

Bien entendu, songea Emily, méprisant l'élan romantique qui, rien qu'un instant, lui avait fait espérer autre chose. Elle avait laissé galoper son imagination à cause de quelques malheureux baisers !

— Certes, lâcha-t-elle avec une ironie sous-jacente. Comme c'est romantique !

— Qui vous parle de romance ?

— Personne.

— Pensez donc à vos contes de fées, lui intima-t-il en la secouant légèrement par les épaules. Vous allez épouser le prince. Que pourriez-vous désirer d'autre ? Vous en tirerez d'immenses bénéfices, souligna-t-il généreusement.

Quel bénéfice pouvait-on bien tirer d'une union sans amour ? se demanda-t-elle. Et elle répliqua :

— Je n'en vois aucun. L'argent ne m'intéresse pas. Il n'apporte que des problèmes.

Il parut surpris mais, en habile négociateur, se hâta de modifier sa tactique :

— Mon père vous honorera du titre de princesse. A dater du jour de notre mariage, vous serez autorisée à marcher à mon côté.

— En général, je n'arrive pas à me maintenir à votre hauteur. Vous allez trop vite.

— Pourquoi tournez-vous ceci en plaisanterie ? s'indigna-t-il, mâchoires serrées.

— Parce qu'il est impossible que vous parliez sérieusement.

— Je suis on ne peut plus sérieux, et je vous avertis que je n'ai *jamais* proposé le mariage à aucune femme.

Réalisant qu'elle était censée se sentir flattée par cette annonce, elle observa en fronçant les sourcils :

— Vous ne m'avez pas précisément demandée en mariage. Vous m'avez plutôt ordonné de vous épouser. Vous pensez sûrement que vous êtes un trop beau parti pour qu'on vous refuse !

Il repartit aussitôt, en meneur de négociations qui n'aime pas à voir traîner les choses :

— J'annulerai la dette de votre frère.

Elle ouvrit deux ou trois fois la bouche comme pour parler, mais aucun son ne sortit. Puis, enfin, elle demanda :

— Vous annuleriez la dette ?

— Oui.

— Mais, il vous doit huit millions de livres !

— Le jour de notre mariage, cette dette sera effacée.

Elle le dévisagea en silence, longuement.

— Vous paieriez une somme pareille pour m'épouser ?

— Il me faut une femme.

Elle se raidit, confrontée à une collision brutale entre ses rêves et la réalité.

Depuis toujours, elle envisageait un mariage d'amour. Mais cela, c'était avant de savoir que son frère avait huit millions de livres de dettes.

Et avant d'avoir échangé des baisers torrides avec Zakour al-Farisi.

Luttant pour se raccrocher à ses principes, elle répondit avec difficulté :

— J'ai besoin de réfléchir.

— Impossible, laissa-t-il tomber avec une arrogante assurance. C'est une proposition qui ne se renouvellera pas. Je dois parler aujourd'hui à mon père.

— Etes-vous toujours aussi impitoyable, quand il s'agit de parvenir à vos fins ?

— Vous gagnez huit millions de livres et un train de vie qui dépasse vos rêves les plus fous. Je ne vois guère en quoi vous pâtissez du marché !

— Parce que vous ignorez entièrement quels sont mes rêves les plus fous, marmonna-t-elle, frappée par son cynisme.

Visiblement, il ne s'attendait guère à tomber amoureux. Donc, pour lui, une union n'était qu'un arrangement d'affaires.

Alors que pour elle…

Elle avait aspiré à avoir une maison accueillante, un mari superbe, et au moins cinq répliques miniatures de ce superbe spécimen, gambadant dans leur joli jardin. Elle n'avait jamais rêvé de tas d'or et de palais mirifique…

Mais elle n'avait jamais pressenti non plus la passion sauvage qui l'avait emportée sur sa vague, la veille.

On eût dit qu'elle avait découvert une part inconnue d'elle-même, qui s'était jusque-là développée à son insu ! Elle contempla le beau visage de Zak, y quêtant un signe de tendresse.

— Vous n'avez même pas de sympathie pour moi, murmura-t-elle.

Pourtant, comme elle disait ces mots, leurs regards se vrillèrent l'un dans l'autre, la passion sous-jacente qui les dévorait la souleva.

Il dit en esquissant un sourire :

— Je n'apprécie guère votre absence de morale. Mais heureusement, c'est un avantage, pour ce que j'ai en tête. Vous êtes vraiment une très belle femme. Et vous me plairez, soyez tranquille, lorsque vous serez nue sous moi.

Emily frémit comme il l'embrassait du regard, et elle sentit s'embraser le cœur de sa féminité avec autant de volupté que s'il l'eût touchée. Elle n'aurait pas dû ressentir ces choses ! Elle aurait dû quitter ces lieux !

Mais comment partir alors que Peter avait envers cet homme une dette considérable, qu'il ne serait jamais en mesure de rembourser ? Lorsque Zakour al-Farisi aurait retrouvé sa trace, il s'emparerait de lui et le jetterait en prison !

— Je n'arrive pas à croire que vous me… que…

Elle se tut, embarrassée au dernier degré. Jamais elle n'avait eu avec quiconque une telle conversation !

— Vous disiez que c'était un arrangement, pas un vrai mariage, reprit-elle tant bien que mal.

— Qu'appelez-vous un vrai mariage ? Chez nous, de tels accords sont courants. Cependant, ce serait un mariage bien concret.

— Je ne comprends pas, murmura-t-elle.

— Vous êtes d'une beauté renversante et j'ai une libido très affirmée, lâcha-t-il de sa voix nonchalante. Qu'est-ce qui peut bien vous échapper là-dedans ?

Elle se sentit soudain sur le point de défaillir. Franchement, quel échange inouï !

— Inutile d'afficher autant de pudeur, lui dit-il d'un ton apaisant. J'aime que vous soyez passionnée. Et j'aime que vous ne puissiez pas dissimuler votre désir pour moi.

Elle rougit, mortifiée d'être aussi facile à deviner.

— Vous êtes très beau, souffla-t-elle enfin, les yeux rivés au sol. Vous devez être habitué aux regards des femmes.

— Je ne me plaignais pas ! dit-il avec amusement. Je soulignais seulement que votre désir pour moi est égal à celui que j'éprouve pour vous, et que cela me convient. Je suis très moderne dans mon approche de la sexualité, vous savez. Je n'exige nullement d'avoir une vierge dans mon lit, alors vous pouvez renoncer à la comédie de la pudeur.

Cette fois, elle leva les yeux vers lui ! Inquiète et consternée, elle balbutia de plus belle :

— V-vous disiez que… que si… si on faisait… ce que vous savez, eh bien…

— Ce que vous savez ? On croirait entendre une collégienne ! s'amusa-t-il.

Il n'avait visiblement pas envisagé une seconde qu'elle pouvait être vierge, et elle n'allait certainement pas le lui révéler. C'était vraiment trop intime !

— Donc, si on se marie, vous abandonnerez les poursuites contre Peter et vous annulerez la dette ?

— Pourquoi pas ? Il me semble que c'est une solution satisfaisante pour tout le monde.

— Vous sacrifiez une fortune.

Il eut un lent sourire qui la fit tressaillir au plus profond de son être.

— Mais j'y gagne une épouse et je vous aurai dans mon lit. En ce moment, je serais prêt à donner n'importe quoi pour avoir ce plaisir.

Le cœur d'Emily se mit à battre à grands coups sourds, et elle le regarda intensément, à la fois effarée et fascinée.

— Non, murmura-t-elle d'une voix tremblante. Je ne peux pas faire ça.

— Très bien, lâcha-t-il, glacial. Votre frère devra rendre compte de ses actes. Combien de chances a-t-il de se procurer huit millions, à votre avis ?

Elle ferma brièvement les paupières, accablée.

Peter ne réunirait jamais une telle somme, c'était évident. Il n'était pas étonnant qu'il eût disparu. Il avait dû se terrer quelque part, redoutant d'affronter le monde.

Oh, si seulement il s'était confié à elle !

Mais il avait toujours joué le rôle du protecteur, avec elle. Il ne l'avait jamais réellement traitée en adulte. Pouvait-elle lui faire défaut alors qu'elle avait une occasion de tout arranger ?

Elle regarda le prince, qui l'observait à travers ses paupières mi-closes.

— Très bien, parvint-elle à dire d'une voix rauque. Puisque mon corps est mon seul atout, si vous le voulez…

Il se redressa et vint jusqu'à elle.

— Je ne veux pas d'une martyre dans mon lit, dit-il d'un ton léger. Alors, cessez de prétendre que vous n'êtes pas dévorée de désir comme je le suis.

Elle serra les poings, se haïssant d'être si transparente, et le détestant pour sa perspicacité. Trop mortifiée pour se contenir, elle lança :

— Vous vous croyez irrésistible, n'est-ce pas ? Aucune femme ne peut vous tenir tête, selon vous ?

— Disons que je n'ai pas encore rencontré d'exception. Il y a quelque avantage à être un prince fortuné, je l'admets.

Il suggérait que les femmes tombaient à ses pieds à cause de son rang et de sa richesse. Mais, en ce qui la concernait, elle était fascinée par sa personnalité, et non par ce qu'il représentait.

C'était un homme terriblement séduisant, fort et assuré, maître de lui. La part la plus « femelle » de sa nature de femme était attirée par lui — que cela lui plût ou non.

— Eh bien… ? dit-elle, le regardant d'un tel air qu'il se mit à rire.

— Quoi, eh bien ? Vous pensez que je vais vous culbuter séance tenante sur mon tapis persan ? J'ai un peu plus de subtilité que cela, Emily. Tout est dans l'attente et l'anticipation, ne croyez-vous pas ? Le festin est d'autant plus agréable que la faim est intense.

En ce qui la concernait, l'attente devenait presque intolérable !

— Lorsque mes ancêtres désiraient avoir une véritable intimité, continua-t-il en la fixant d'un regard de braise,

98

ils retournaient dans le désert. Je compte faire comme eux. Mais je vous emmènerai avec moi. En tant qu'épouse.

Le désert ? Des visions surgirent dans son esprit comme elle se remémorait le paysage sauvage qu'elle avait entrevu pendant son trajet de l'aéroport au palais. Une terre aussi âpre et rude que le prince lui-même.

Elle frissonna sous son regard, et il sourit.

— Cela nous garantira notre intimité, dit-il. Et nous en aurons besoin !

7.

Trois jours plus tard, Emily contemplait Zak, incapable de se convaincre qu'ils étaient maintenant mariés. Le père du prince étant malade, il avait été décidé que leur mariage serait discret. Mais elle demeurait stupéfaite de la rapidité avec laquelle s'était organisée la cérémonie.

Comme il était romantique, pensait tout un chacun, que le prince cynique et play-boy fût tombé follement amoureux d'une femme, au point de vouloir l'épouser sans tarder ! Seuls elle et Zak connaissaient la vérité.

Ils venaient à présent d'échanger leurs vœux, et l'assistance attendait qu'il lui donne le baiser traditionnel. Le père de Zak les regardait, un air d'indulgente approbation sur son visage las, et Emily eut soin de dissimuler son anxiété. Elle avait rencontré le maître de Kazban voici quelques jours à peine, mais elle l'avait aussitôt pris en affection. Elle ne voulait pas le blesser en lui laissant entrevoir que ce mariage n'avait rien d'authentique. Aussi, lorsque Zak inclina la tête vers elle, elle lui tendit ses lèvres, en se disant qu'elle agissait ainsi pour le vieux cheikh et pour son propre frère : cela faisait partie du marché qu'elle avait accepté.

Elle ne s'attendait vraiment pas à l'élan d'excitation qui s'empara d'elle lorsqu'il prit sa bouche. C'était un baiser plutôt contenu, par comparaison avec ceux qu'ils avaient déjà échangés. Mais la réaction de ses sens n'eut rien de tiède !

Avec élan, elle se pressa contre Zak, quêtant un contact plus intime. Il l'enlaça alors par la taille, prolongeant le baiser jusqu'à ce qu'une toux discrète se fasse entendre. Il releva enfin la tête, une étrange expression flambant dans son regard noir.

— Ma femme, dit-il d'un air songeur.

Elle rougit, persuadée qu'il avait une intention quelque peu moqueuse. Ne s'étaient-ils pas épousés, l'un et l'autre, pour des raisons qui n'avaient rien à voir avec l'amour ?

Elle brûlait de savoir pourquoi il était si urgent qu'il se marie maintenant alors qu'il avait si longtemps évité de franchir le pas. Mais il y avait quelque chose, chez cet homme intimidant, qui la dissuadait de l'interroger.

Elle n'eut d'ailleurs pas le temps de réfléchir à ce sujet, car les invités s'empressaient autour d'eux pour les féliciter. Bien qu'il s'agît d'un mariage discret, Zak appartenait à une famille fort nombreuse. Aussi durent-ils accueillir les souhaits d'une interminable cohorte.

Ils finirent par prendre place à une vaste table et, tandis que les convives dînaient et bavardaient, elle se surprit à regretter l'absence de Peter. Il était sa seule famille ; elle aurait tout de même aimé qu'il fût là, même si ce n'était pas un vrai mariage. Mais c'était justement à cause de son frère que cette union avait lieu !

— Vous êtes bien silencieuse, lui dit doucement Zak en examinant son teint pâle. Vous êtes fatiguée ?

— Je regrettais seulement que Peter ne soit pas là, lui dit-elle sincèrement.

— Il vous a pourtant causé bien des tourments, dit-il, désapprobateur. Maintenant que vous voilà ma femme, je ferai tout pour compenser cela.

Il semblait si affectueux qu'elle dut se contraindre à se rappeler qu'il l'avait épousée par nécessité.

— Vous m'avez épousée et vous avez annulé la dette, lui rappela-t-elle avec raideur. Vous avez largement accompli votre devoir.

Aussitôt après le repas de noces, ils partirent pour le désert — brièvement retardés par la réaction de Jamal, qui pleura et refusa qu'on le laisse seul.

— Il est encore si petit, et il a connu tant d'instabilité, dit doucement Emily à Zak en câlinant le garçonnet.

— Tu n'as pas le droit d'emmener Emily ! protesta Jamal, décochant un regard furieux à son oncle. Emily est drôle et gentille. Elle me raconte de belles histoires. Je l'aime !

Zak le souleva dans ses bras, en lui disant d'une voix étonnamment tendre :

— Je te la ramènerai, je te le promets. Mais je t'ai trouvé une nouvelle nounou qui te plaira, tu verras. Elle aussi, elle est très gentille et raconte de belles histoires. Et puis, j'ai... demandé à ta maman de revenir.

A peine revenue de sa surprise à le voir si tendre, Emily ne manqua pas de remarquer qu'il s'était crispé en mentionnant sa belle-sœur. Elle se demanda pourquoi tout le monde semblait tendu dès qu'il était question de la mère de Jamal.

En son for intérieur, elle était effarée que cette femme se soucie si peu de son enfant, et se sentait étrangement touchée de constater que le prince partageait sa désapprobation. Il semblait vraiment tenir à son neveu, et avait personnellement choisi la nouvelle nounou. Il s'avéra que c'était, en effet, une jeune fille très douce qui sut établir d'emblée un bon contact avec le petit. Celui-ci finit par accepter de la laisser partir, fût-ce à contrecœur.

— Tu dois me la ramener, ordonna-t-il à son oncle.

— Tu peux compter sur moi !

« Quand j'en aurai fini avec elle », acheva-t-elle en silence, devinant ce qu'il pensait.

Maintenant, leur véhicule, intégré à un long convoi, était en route pour l'oasis de Madan.

— Je pensais que nous serions seuls, dit-elle en regardant leur longue escorte.

— « Seul » n'est pas un mot qui fait partie de mon vocabulaire, déclara-t-il en maîtrisant la conduite sur ce terrain difficile. Mais nous aurons notre intimité une fois arrivés. Je ne songe nullement à avoir un public !

Elle se détourna pour dissimuler son expression. Elle se sentait de plus en plus mal à l'aise à l'approche de leur nuit de noces. Et plus le Palais d'Or de Kazban s'éloignait d'eux, plus sa tension croissait. Cramponnée au siège du 4x4, elle contempla la vaste étendue de dunes où se jouait le soleil. Elle paraissait sans limites !

— Comment retrouvez-vous votre route ? demanda-t-elle à Zak. Tout semble pareil !

— Ce n'est qu'une impression, lui répondit-il. Les familiers du désert peuvent se repérer en se guidant seulement sur le vent et les étoiles.

— Il fait grand jour, souligna-t-elle. Et on ne sent pas le vent dans ce véhicule, il a l'air conditionné !

Il sourit.

— J'ai pensé que vous préféreriez une version romantique des choses. Mais vous avez raison, bien sûr. Lorsque nous quitterons la route, j'utiliserai le compas intégré au tableau de bord.

Un compas ! Il n'y avait nul espoir qu'ils s'égarent, alors...

Elle s'enfonça sur son siège, contemplant malgré elle la cuisse musclée de Zak, qui se trouvait dans son champ de vision. Il avait choisi de mettre un jean noir qui mettait en valeur son superbe physique. Elle ne put s'empêcher de laisser errer son regard vers la partie la plus masculine de son anatomie... C'était plus fort qu'elle : quoi qu'ils pussent dire, elle en revenait toujours à la même obsession, et son esprit semblait ne scander qu'un seul mot : le lit, le lit, le lit...

Comment peut-il prendre les choses avec autant de décontraction ? se demanda-t-elle en détournant la tête avec gêne. Il avait sans doute l'habitude d'emmener des femmes dans le désert pour les séduire, songea-t-elle, se remémorant les commentaires de Peter sur sa réputation de tombeur invétéré. Il n'était ni intimidé ni dépourvu d'expérience, lui ! Contrairement à elle...

— Nous allons d'abord faire une halte au haras, lui dit Zak — et elle jeta un regard en arrière, se rappelant qu'ils véhiculaient un van.

Elle avait presque oublié Sahara, le précieux étalon du prince qu'il semblait ne vouloir confier aux soins de personne. Les autres chevaux étaient généralement convoyés en avion. Mais comme Sahara détestait ce mode de transport, Zak n'avait pas voulu lui infliger un tel stress.

Elle avait été surprise de le voir si attentionné envers l'animal. « Je devrais peut-être me métamorphoser en jument, avait-elle pensé dans un bref accès d'humour. Il se montrerait peut-être plus indulgent à mon égard ! »

De nouveau abattue, elle contempla le paysage, puis finit par somnoler et s'endormir. Lorsqu'elle s'éveilla, l'après-midi touchait à sa fin, des montagnes bornaient l'horizon, et elle découvrit des palmiers.

— Voici l'oasis, nous arrivons, lui dit Zak.

— Mais c'est gigantesque ! s'exclama-t-elle, surprise.

— Il y a de petites oasis, en effet ; et il y en a d'autres dont les environs accueillent toute une ville, précisa Zak. Bon, le haras d'abord. Je veux que Sahara soit bien installé.

Un instant plus tard, ils franchissaient des barrières blanches qui traversaient de vertes prairies. Etonnée par ce contraste avec le désert, elle écarquilla les yeux. Des chevaux magnifiques paissaient dans l'immense enclos.

— Des arabes ! Oh, ils sont superbes ! s'exclama-t-elle, oubliant sa tension. On peut s'arrêter pour les voir ?

Zak immobilisa obligeamment le 4x4 et elle descendit avec impétuosité, courant jusqu'à la clôture.

— Ce qu'ils sont beaux ! dit-elle dans un soupir, attendrie, en repérant deux jeunes poulains.

— Les filles de Sahara, commenta, derrière elle, Zak qui l'avait suivie. Elles feront merveille sur un champ de course.

Sahara piaffa dans son van et lança des appels aux juments, qui accoururent à la barrière, narines dilatées, crinières au vent. En dépit de son appréhension, Emily sourit à Zak.

— Sahara sait qu'il est chez lui.

— Je crois que son instinct est plus primitif que ça, lui répondit-il de sa voix nonchalante. Il a senti les juments et voilà qu'il ne pense plus qu'à les couvrir.

Elle se surprit soudain à se laisser fasciner par son regard, dont la sensualité affichée la troublait plus que de raison. Elle aussi, était attirée par un bel étalon... Zak se rapprocha d'elle, et elle eut, une fois de plus, une conscience aiguë de sa masculinité.

— Les juments sont aussi excitées que lui, ajouta-t-il.

Rivée sur place, ensorcelée par la douceur veloutée de sa voix grave et la puissance de son corps athlétique, elle se sentit vaciller, cédant à l'indéfinissable alchimie sensuelle qui les reliait l'un à l'autre... Vrillant son regard dans le sien, il eut une inclinaison de tête éloquente.

— Tu viendras à moi, cette nuit, murmura-t-il. Et ce sera bon.

Elle eut l'impression de sombrer dans son regard noir. Au lieu de s'insurger, elle se surprit à regretter que la nuit ne fût pas déjà venue. Elle le voulait... maintenant ! Tout de suite !

Effarée par le tour de ses pensées, elle recula d'un pas. C'était pour Peter qu'elle avait agi comme elle l'avait fait ! Elle avait conclu un arrangement d'affaires !

Alors, pourquoi frémissait-elle d'impatience ?

Elle décocha à Zak un regard qui se voulait glacial, mais celui-ci se contenta de lui sourire, une expression énigmatique sur le visage. Désarçonnée par ses propres sentiments, elle fut soulager de voir arriver plusieurs lads qui venaient chercher Sahara.

Le prince fit sortir lui-même l'étalon de son van, puis donna des instructions en arabe au chef d'écurie. Ayant hoché la tête, l'homme s'éloigna, emmenant Sahara.

— Où devons-nous résider, ce soir, Votre Altesse ? demanda-t-elle au prince.

Il parut amusé.

— Nous sommes mariés, *azîz*. A ce stade de notre relation, tu peux m'appeler Zak, ne crois-tu pas ?

— Notre union est une union arrangée, lui rappela-t-elle. Nous n'avons pas de relation !

— Nous en aurons une ce soir, répondit-il avec son imparable assurance. Je n'attends certes pas que tu m'appelles « Votre Altesse » lorsque tu seras nue sous moi.

Elle dit en s'empourprant violemment :

— Vous cherchez à me choquer.

106

Elevant la main, il lui caressa la joue, une étrange expression errant sur son visage.

— Je n'ai jamais connu de femme qui rougisse autant que toi.

— Cela ne m'arrivait jamais avant de vous rencontrer, marmonna-t-elle, affolée par le contact de ses doigts sur sa chair. Depuis que je vous connais, j'ai un teint de betterave !

— Parce que je suis indécent et que tu es l'innocence incarnée, miss Kingston ? ironisa-t-il.

Cette pique la mortifia. En même temps, elle avait l'occasion de lui faire comprendre qu'il se fourvoyait à son sujet. Mais elle ne put en trouver le courage.

— J'ai fait ça pour mon frère, lâcha-t-elle enfin — et le sourire de Zak s'élargit.

— Quel sacrifice ! railla-t-il. Dans quelques heures, tu seras allongée sur mon lit, gémissante et pâmée, et je t'assure, *azîz*, que tu ne penseras certes pas à ton frère.

Troublée, en proie à des sensations qu'elle analysait mal, elle s'écarta de lui avec colère. Elle l'aurait volontiers giflé ! Sans même oser le regarder, elle regagna le 4x4. Quoi qu'il pût se passer entre eux, elle ne serait certes pas « gémissante et pâmée » ! Elle allait rester de marbre, oui ! Et il en serait pour ses frais, avec son insupportable ego !

Un instant plus tard, il la rejoignit et, n'ayant plus à se soucier du van, appuya franchement sur l'accélérateur. Ils atteignirent en peu de temps l'autre extrémité de l'oasis, où se trouvait tout un ensemble de gigantesques tentes. Le prince aimait avoir ses aises lorsqu'il était loin du palais !

— Le désert peut être dangereux, observa-t-il en s'inclinant vers elle pour déboucler sa ceinture de sécurité. Alors, je te conseille de ne pas trop t'éloigner d'ici, *azîz*.

— Que pourrait-il y avoir de plus dangereux que vous ? répliqua-t-elle.

— Ma foi, dit-il en souriant de plus belle, je suggère : les serpents et les scorpions. Mais c'est toi qui décides, ma belle rose anglaise.

Serpents ? Scorpions ? pensa-t-elle, épouvantée. Et elle ouvrit la portière en scrutant le sol. Plongeant la main dans un compartiment du véhicule, Zak en tira une dague et la lui tendit.

— Tu te sentiras peut-être plus en sécurité avec ça, dit-il. Cela te permettra de te défendre contre les intrus, qu'ils aient huit pattes ou non. A condition que tu ne t'aventures pas seule dans le désert, tu devrais être en parfaite sécurité.

Elle prit l'arme qu'il lui tendait et l'examina longuement, admirant la beauté de son manche ciselé. Puis elle la lui rendit en déclarant :

— Merci. Mais je préfère que vous la gardiez. Je ne suis pas très portée sur la violence.

— Oh, c'est vrai, j'oubliais, lâcha-t-il en lui décochant un sourire ravageur. Le pistolet à eau.

Bouleversée par ce sourire, elle eut l'impression de défaillir. Elle détourna la tête, furieuse d'être si perméable à son charme, et pensa : « Gémissante et pâmée, jamais ! »

Prenant soudain conscience qu'une nuée de serviteurs attendait de les accueillir, elle descendit du 4x4, tout en portant involontairement la main vers ses cheveux. Elle avait roulé tout le jour. Elle ne devait pas être très présentable ! Elle aurait donné n'importe quoi pour prendre un bon bain prolongé, mais un tel luxe n'était sans doute pas possible dans le désert.

Quand Aïcha s'avança vers elle, quittant le groupe des serviteurs, elle fut étonnée et contente. Elle n'avait pas réalisé que sa cameriste les avait suivis dans leur voyage.

— Veuillez me suivre, Votre Altesse. Vous devez être fatiguée.

Votre Altesse ? pensa Emily, soudain confrontée aux réalités de son mariage princier. Sans jeter un regard à Zak, elle dit à la jeune femme :

— Appelez-moi Emily, Aïcha.

— Oh, non, Votre Altesse ! Ce ne serait pas convenable. Vous êtes une princesse, à présent. Et ce soir, nous vous ferons belle pour le prince.

Emily la suivit, prête à déclarer qu'elle porterait un jean. Mais elle se garda de le faire en découvrant les magnifiques toilettes qui l'attendaient, suspendues à un portant.

Elle s'avança et effleura la première, d'une soie bleue sensible à l'intensité de la lumière.

— Oh ! soupira-t-elle avec émerveillement.

Aïcha souleva la robe sur son cintre pour la placer devant elle, en commentant avec excitation :

— Moi aussi, je vous verrais bien dans celle-ci. Cela vous irait à ravir. Mais d'abord, vous devez prendre un bain.

— Où ça ? s'enquit Emily, en regardant pour la première fois autour d'elle.

Bouche bée, elle contempla le décor qui semblait tout droit sorti des *Mille et Une Nuits*. Les pans de la vaste tente avaient été écartés, offrant une vue spectaculaire sur le désert. Le sol était couvert de magnifiques tapis, dans les tons violets et rouges profonds.

Quatre autres servantes apparurent, souriantes. Elles apportaient de l'eau chaude. Emily se tint immobile tandis qu'Aïcha dégrafait sa robe, tout en bavardant gaiement :

— Quelle chance vous avez ! Tomber amoureuse du prince et être payée de retour. Comme c'est romantique !

Emily se mordit la lèvre, se gardant de dissiper les illusions d'Aïcha. Elle savait pertinemment, elle, pourquoi Zakour l'avait épousée ! Il lui fallait une épouse et, pour Dieu sait quelle raison, c'était elle qu'il avait élue. Il agissait comme son étalon : il ne pensait qu'à…

Deux heures plus tard, elle contemplait son propre reflet avec une surprise émerveillée. Après le bain, Aïcha l'avait fait asseoir sur une chaise pour la coiffer et la maquiller. Puis elle l'avait aidée à se vêtir.

Maintenant, ses cheveux fraîchement lavés ondoyaient sur ses épaules, miroitant de l'éclat des menues perles d'or que la camériste avait habilement tressées avec les mèches. Ses yeux, soulignés de khôl, paraissaient immenses.

Quant à la robe, c'était une pure merveille ! Jamais elle n'avait rien porté d'aussi beau ! pensa-t-elle en pivotant devant le miroir sans oser se reconnaître. La toilette, à la fois occidentale et exotique, épousait ses formes, suggérant sans révéler, sans être provocante. Et pourtant, son contact sur sa peau avait quelque chose d'incroyablement sensuel…

Comment le prince avait-il pu deviner si précisément sa taille ? se demanda-t-elle, pour se rappeler, en rougissant, qu'il avait une expérience légendaire en matière de femmes…

— Ce bleu vous va à ravir, murmura Aïcha. Vous avez vraiment tout d'une princesse.

« Ne nous emballons pas », songea Emily. La nuit qui l'attendait n'aurait certes rien de romantique ! Le prince était, certes, d'une beauté peu commune, mais il était aussi implacable et froid. Il ne songeait guère à la romance. « Alors, lui souffla une petite voix, pourquoi ton cœur bat-il si fort ? Et pourquoi te sens-tu si nerveuse ? »

— Son Altesse a demandé que vous le rejoigniez dès que vous serez prête, annonça la servante qui avait aidé Aïcha.

— Dans ce cas, allons-y, déclara Emily, se jetant à l'eau.

Jamais elle ne serait prête, de toute façon ! Pour un peu, elle aurait tenté sa chance avec les serpents et les scorpions !

Aïcha rabattit les pans de la tente, et Emily eut la surprise de découvrir Sharif. Elle rougit. Tout le personnel du palais allait donc être témoin de sa nuit avec Zakour ?

— Je suis venu vous escorter pour dîner, expliqua-t-il en s'inclinant avec gravité.

Emily se tourna vers Aïcha, la gratifiant d'un sourire.

— Merci pour tout, lui dit-elle.

— Passez une excellente soirée, Votre Altesse.

— Je suis prête à vous suivre, dit alors Emily à Sharif.

Il l'embrassa du regard, de ses cheveux dorés jusqu'à la pointe de ses mules de soie assorties à sa robe. Puis il poussa un léger soupir.

— C'était fatal, murmura-t-il.

Et il lui fit signe de lui emboîter le pas dans le couloir de toile. Elle le suivit en méditant sur le commentaire sibyllin. « Fatal » ? Mais elle n'eut pas le loisir de l'interroger, car il pénétra presque aussitôt sous une deuxième tente, en s'inclinant jusqu'à terre.

Le prince s'avança, et le conseiller s'éclipsa comme par magie, la laissant seule avec lui.

Pétrifiée, elle se demanda si elle serait capable, un jour, de ne plus être troublée à sa seule vue. Il était réellement d'une beauté saisissante, presque scandaleuse, pensa-t-elle en admirant sa carrure athlétique, et en fixant, presque malgré elle, le tentant carré de chair ombré de poils que révélait le col ouvert de sa chemise.

Il avait passé un pantalon de coupe occidentale et pourtant, en dépit de sa sophistication, il continuait d'avoir une apparence exotique, dangereuse. Ses yeux noirs brillaient d'un étrange éclat, tandis qu'il la détaillait du regard avec la suprême assurance qui le caractérisait.

— Tu es belle, dit-il.

Embarrassée au plus haut point, elle murmura :

— C'est vous qui avez choisi cette robe.

— Ce n'est pas à la robe que je songeais.

Elle rougit sous son regard intense. Jamais elle ne s'était sentie aussi mal à l'aise ! Il ne s'agissait pas d'une cour ordinaire, ils le savaient bien ! Et elle n'avait certes pas anticipé des compliments. Qu'allait-il se passer, maintenant ? Allaient-ils dîner ? Bavarder ? Ou bien...

— Tu trembles, lui dit-il.

— Je suis nerveuse, avoua-t-elle. Ce n'est pas tous les jours qu'une femme entre dans un harem.

— Tu es mon épouse, *azîz*. Il n'y a pas de harem.

Lui décochant un sourire prédateur, il ajouta :

— C'est un arrangement exclusif. Rien que toi et moi, et ce vaste lit.

Malgré elle, elle regarda la couche qu'il désignait, et sentit ses genoux se dérober sous elle. Drapé de soies chamarrées, le lit dominait les lieux de son immensité, invitant à se noyer entre les draps et les coussins moelleux...

Elle s'embrasa, pensant que Zakour avait l'art d'éveiller les fantasmes des femmes, éprouvant une curieuse sensation au creux de l'estomac. Elle s'imaginait très bien sur ce grand lit, son corps mêlé à celui d'un homme. Et pas n'importe lequel... Un homme aux yeux noirs comme la nuit et venu du désert...

Effrayée par le tour ouvertement érotique de ses propres pensées, elle détourna les yeux. Elle n'était pas précisément qualifiée pour avoir les honneurs de cette couche ! songea-t-elle, frémissant sous le regard lascif de Zakour.

— Je constate que vous avez de grandes espérances, murmura-t-elle.

— Ton numéro de pudeur effarouchée est inutile avec moi, lui dit-il en s'avançant lentement vers elle. Nous sommes adultes, et nous voulons la même chose.

Vraiment ? se demanda-t-elle. Elle ne savait pas ce qu'elle voulait ! Elle avait cru vouloir rentrer en Angleterre. Mais soudain, elle n'avait plus qu'une seule obsession : l'homme qui se trouvait devant elle... Et cet immense lit...

Comme elle ne réagissait pas, il reprit avec un regard amusé :

— Je vais tâcher d'être clair. Si tu as envie de broder sur la réalité, j'accepte de te complaire. Mais ce n'est pas une nécessité. Tu es une jeune femme moderne, et non une vierge timide. Cela me va.

Elle se demanda comment il réagirait, s'il apprenait que sa seule expérience se limitait aux baisers qu'ils avaient échangés ! Elle contempla une fois de plus l'immense lit, avec une nervosité croissante, et décida qu'elle devait lui dire la vérité. Elle n'avait aucun don pour les choses de l'amour, et il s'en rendrait très vite compte, une fois qu'il l'aurait dévêtue !

Le voyant avancer vers elle, elle commença :

— Je... euh... Il faut que nous parlions, Votre Altesse.

— Zak, rectifia-t-il.

— Zak... Je sais que vous pensez que... En fait, vous devez savoir que je n'ai jamais... que je...

Elle s'interrompit, plus écarlate qu'une pivoine, et le regarda, espérant qu'il comprendrait.

Mi-exaspéré, mi-amusé, il posa sur elle son regard noir, et dit avec un haussement d'épaules :

— Puisque tu y tiens. J'ai hâte de t'initier aux plaisirs du lit.

8.

Immobile, le souffle suspendu, elle vibra tout entière à ces mots, à ce regard. Les plaisirs du lit… Elle s'était attendue à ce qu'il soit refroidi d'apprendre qu'elle était vierge, mais cela ne semblait pas le déranger le moins du monde.

Soudain, la situation lui apparut dans toute son effrayante étendue : ce qu'elle redoutait, ce qu'elle espérait, allait avoir lieu… Il y avait des années qu'elle se demandait ce qu'elle ressentirait, et elle allait le savoir.

— As-tu faim ? lui demanda Zak, désignant la table basse où s'étalaient divers plats alléchants.

Faim ? Elle était beaucoup trop nerveuse pour avaler quoi que ce soit ! Mais si elle refusait, elle savait ce qui l'attendait… Soudain désireuse de repousser le plus loin possible l'inévitable, elle parvint à sourire et à mentir :

— J'ai l'estomac dans les talons !

Et elle alla s'installer confortablement contre les coussins. A son grand désarroi, Zak vint s'asseoir tout près d'elle, la frôlant de sa cuisse musclée. Elle crut défaillir et se demanda comment elle parviendrait à manger.

— Du vin ? lui proposa Zak.

Il lui servit un verre qu'il lui tendit. Elle s'empressa de le saisir, avalant le liquide à grandes gorgées, en espérant que cela l'aiderait à se détendre. Mais comment l'aurait-elle pu, alors qu'il était tout près d'elle ?

Il servit quelques mets sur son assiette, en disant :

— Parle-moi de ta famille.

Elle se raidit, aussitôt sur la défensive.

— Si vous imaginez me faire parler de Peter…

— Détends-toi, voyons, dit-il avec une douceur amusée. Ce soir, nous ne sommes pas en guerre l'un contre l'autre. J'ai posé une question anodine, pour savoir un peu plus de choses à ton sujet. Nous sommes mariés, après tout.

Un mariage qui n'avait rien d'authentique, pensa-t-elle en le dévisageant.

— Peter est ma seule famille, dit-elle, lampant une nouvelle gorgée de vin.

Celui-ci était vraiment délicieux et, bien qu'elle ne soit guère accoutumée à boire, elle décida soudain qu'elle avait absolument besoin de se détendre et que c'était encore le meilleur moyen d'y parvenir.

— Je n'ai que lui au monde, souligna-t-elle.

— Vraiment ? Comment cela se fait-il ?

— Nos parents sont morts lorsque j'avais douze ans, lui apprit-elle en se demandant pourquoi il s'intéressait tant à elle, tout à coup. Je suis allée habiter chez Peter.

— Est-il beaucoup plus âgé que toi ?

— Il a quinze ans de plus. Je suppose que je suis arrivée par accident, dit-elle d'un air désabusé. En tout cas, Peter et sa femme m'ont accueillie.

— Ils n'avaient pas d'enfants à eux ?

Elle fit non de la tête.

— Paloma n'a jamais voulu d'enfants.

— Mais elle t'avait.

— Pas par choix.

115

Une fois encore, elle avala un peu de vin. Elle n'avait pas envie de lui révéler des choses qui la concernaient de si près. Elle ne voulait pas lui faire savoir que son désir le plus cher était d'avoir une vraie famille. Peter avait fait de son mieux pour qu'elle se sente accueillie. Mais il n'avait pu masquer l'irritation de sa femme, contrainte d'accepter une fillette dont elle ne voulait pas.

Elle s'apprêtait à avaler encore une gorgée de vin lorsque son verre lui fut doucement ôté des mains.

— Cette soirée sera bien plus agréable pour nous si tu n'es pas soûle, laissa tomber Zak en disposant des boulettes sur son assiette. Tiens, goûte ceci, c'est une spécialité locale.

Elle y goûta, trouvant le mets délicieux et mangeant avec appétit, en dépit de ce qu'elle avait cru.

— Et vous ? dit-elle enfin. On doit se sentir bien seul, lorsqu'on est prince.

— J'ai été entouré de gens dès ma plus tendre enfance, lui dit-il, la regardant par-dessus son verre. Pour moi, la solitude est un rêve irréel.

Elle demeura un instant songeuse, puis continua :

— Je comprends que vous n'ayez guère de temps à vous. Mais on peut se trouver très entouré et être pourtant seul. Surtout si on doute de la sincérité des gens. Mais au moins, vous avez une famille à laquelle vous pouvez faire confiance.

Visiblement tendu, il lui demanda :

— As-tu toujours une approche aussi naïve de la vie ?

Ne comprenant pas en quoi elle avait éveillé l'amertume qu'il exprimait, elle fit observer :

— En général, les membres d'une même famille sont solidaires, non ?

— Tu crois ? C'est encore un de tes fantasmes ?

Il la regarda d'un air énigmatique, et elle ne sut que répondre. Elle avait affaire à de jeunes enfants que la vie n'avait pas eu le temps de blesser. Elle ne savait comment réagir avec un adulte cynique. Alors, elle lui retourna la question :

— Vous ne pensez pas que les membres d'une famille devraient pouvoir compter les uns sur les autres ?

— Je pense, dit-il en sirotant son vin, qu'il est stupide de se fier à quelqu'un.

Il avait cessé de sourire et se montrait froid, tout à coup. Elle se demanda pourquoi il se méfiait tant des autres, pourquoi il était indépendant au point d'ignorer même sa propre famille.

— Pourquoi ne vous êtes-vous pas marié avant aujourd'hui ? demanda-t-elle sans réfléchir.

Il se figea aussitôt. Sentant qu'elle avait commis une bévue, elle s'apprêtait à s'excuser, mais il eut un demi-sourire.

— Ce n'était pas le bon moment, *azîz*.

D'instinct, elle comprit qu'il ne disait pas tout. Mais quelque chose, dans son regard, la retint de le questionner davantage. Se sentant un peu grise, et regrettant d'avoir avalé si vite tant de vin alors qu'elle avait l'estomac vide, elle ôta ses mules et se pelotonna contre les coussins.

— Cette tente est incroyable. Si confortable, murmura-t-elle en regardant autour d'elle. Je croyais détester le camping, mais vous faites ça avec style, je dois le dire.

Il sourit.

— Qu'est-ce que tu imaginais ? Des piquets et quelques bouts de toile soumis au vent du désert ?

— Quelque chose dans ce genre-là. Ce campement existe en permanence ?

Il acquiesça.

— C'est ici que je réside lorsque je me rends au haras ou que je règle les problèmes des tribus. Ils viennent me voir ici. C'est une vie simple, bien moins compliquée qu'au palais.

Emily lorgna le lit, et ne lui trouva rien de simple. Puis, songeant aux nombreux serviteurs qui les avaient escortés, elle douta que Zakour eût le sens de l'intimité.

— Votre père aussi vient ici ?

— Comme tu l'as constaté, il ne jouit plus d'une parfaite santé. Il préfère rester au palais avec Jamal.

Elle sourit.

— Votre neveu est beau comme un cœur.

— Tu aimes les enfants, dit-il avec une expression étrange.

— Je les adore. Pourquoi ne les aimerais-je pas ? s'enquit-elle avec surprise.

— Parce que… ce n'est pas le cas de toutes les femmes.

— Eh bien, je suppose que c'est vrai. Paloma ne les aimait pas, c'est sûr. Mais moi si. Surtout lorsqu'ils ont l'âge de Jamal, continua-t-elle en souriant. J'aime leur enthousiasme à propos de tout, leur faculté d'apprentissage. Ils commencent par reconnaître les lettres, et puis ils les assemblent, et hop ! en un rien de temps ils savent lire ! J'adore voir un enfant qui épelle un mot pour la première fois.

Un long silence accueillit cette déclaration, et elle rougit.

— Excusez-moi, je parle trop. C'est toujours comme ça, lorsque je suis nerveuse.

— Pourquoi serais-tu nerveuse ?

Elle cessa de sourire. Posait-il sérieusement cette question ? Elle lui avait pourtant dit que pour elle, c'était la première fois.

— J'ai peur de m'égarer dans ce lit, plaisanta-t-elle.

Il eut un rire bas, en disant :

— Je t'assure qu'il n'y a rien à craindre de ce côté-là, *habibati*.

Mais cette remarque ne fit qu'accroître son inquiétude. Ses yeux se posèrent sur sa bouche virile si bien modelée, et elle dut se contraindre pour ne pas élever les mains et attirer son visage vers elle. Qu'attendait-il donc pour l'embrasser ? Elle le désirait tellement qu'elle se sentait défaillir. Et lui ne faisait pas le moindre geste vers elle. Avait-il changé d'avis… ? Plongeant les yeux dans son regard noir, elle vit qu'il n'en était rien, et sut qu'il se jouait d'elle…

— Alors, Emily…, commença-t-il.

— Confiez-moi vos rêves les plus fous, continua-t-il.

Ses rêves les plus fous ? Mais, en ce moment, ils tournaient tous autour de lui ! Et du grand lit si proche qui allait les accueillir. Les détails, cependant, demeuraient vagues. Elle n'avait pas assez d'expérience pour savoir ce qu'elle attendait. Ce qui était sûr, c'est qu'il devait agir, et vite ! Avant qu'elle meure littéralement de désir !

Elle le contempla, espérant qu'il l'embrasserait. Mais au lieu de cela, il la souleva dans ses bras pour l'emporter de l'autre côté de la chambre, et la déposa doucement sur le tapis, près du lit. Puis il plaça ses mains sur ses épaules.

Frémissante, elle leva les yeux vers lui. Sa bouche virile prit alors la sienne avec une douceur envoûtante, qui contrastait avec la passion véhémente de leurs premiers baisers. Il s'attarda, encore et encore, dans une caresse plus provocante que passionnée, et elle éleva ses mains pour les poser sur son torse. Elle palpa sa chair musclée, sentit les grands battements sourds de son cœur et la tiédeur troublante de sa peau, sous le fin tissu de sa chemise.

Comme sa langue effleurait ses lèvres, elle les entrouvrit pour accueillir un baiser profond, voluptueux, qui embrasa sa chair impatiente. Il continua à l'embrasser, à la caresser, et tout à coup, elle sentit sa robe glisser de ses épaules : il l'en dépouilla lentement, ne lui laissant que ses sous-vêtements.

Déjà, il l'avait soulevée dans ses bras et l'allongeait au creux du lit, roulant sur elle. Elle fut immobilisée sous son poids, et sa paume vint se refermer sur un de ses seins tandis qu'il lui dispensait un baiser brûlant et passionné. Sans même qu'elle sache comment, il l'eut bientôt délivrée de son soutien-gorge. Il la contempla et murmura d'une voix rauque :

— Tu es faite pour le plaisir.

Et il happa entre ses lèvres la pointe rosée d'un de ses seins. Au premier effleurement de sa langue, elle se cambra en lâchant un cri, surprise par l'intensité des sensations qui irradiaient sa chair. Mais il la maintint sous lui, prolongeant cet attouchement magique.

— Zak…, murmura-t-elle.

Il se redressa à moitié, le souffle court, laissant errer sa main sur son corps puis la nichant soudain au cœur de sa féminité. Elle retint son souffle, empourprée par l'embarras et souhaitant pourtant qu'il continue, qu'il aille plus loin… Lorsqu'il accomplit ce vœu muet, lui délivrant savamment des attouchements intimes, elle vibra d'excitation et de volupté.

Mais elle n'était pas rassasiée… Domptée par son désir, elle saisit à tâtons le haut de sa chemise pour la lui enlever, et sentir contre sa peau sa chair virile. Elle la lui ôta tant bien que mal pendant qu'il continuait à enflammer ses sens.

— Tu aimes ça, n'est-ce pas ? dit-il, visiblement fier du trouble insensé où il l'avait jetée.

Fiévreuse, elle explora les contours de sa silhouette musclée, rencontra bientôt la ceinture de son pantalon, et tâtonna de plus belle. Avec un sourire typiquement masculin, il l'aida à l'en dépouiller, et finit par envoyer valser lui-même le reste de ses vêtements avant de revenir sur elle. Elle se sentit soudain terriblement gênée, terriblement timide.

— Tu peux regarder, *habibati*, lui murmura-t-il. Tu peux aussi toucher...

Ses doigts virils se replièrent sur sa main hésitante et la guidèrent. Il ne lui laissa cependant pas le loisir de prolonger la caresse, s'allongeant sur elle et s'insinuant entre ses jambes. Elle frémit aussitôt, grisée par ce contact, et sentit qu'il glissait un bras sous ses reins pour la soulever en douceur. Quand il la pénétra, elle laissa échapper un cri de douleur et tenta, instinctivement, de l'empêcher de continuer.

— Emily ? murmura-t-il, s'immobilisant aussitôt pour lui relever la tête, la contraignant à affronter son regard incrédule.

Elle s'étonna de sa réaction. Ne l'avait-elle pas averti qu'elle était vierge ? Pourtant, pour une raison qui lui échappait, elle sentait à présent en lui une tension inédite. Et il hésita avant d'incliner de nouveau sa bouche vers la sienne, en soufflant :

— Détends-toi, je te jure que je ne te ferai plus mal. Je ne savais pas...

Il laissa échapper un gémissement contrit et, sans cesser de se cramponner à ses épaules, elle murmura :

— Mais je t'avais averti…

— Et je ne t'ai pas crue. Cela me remplit de honte.

— Cela n'a pas d'importance, reprit-elle, réalisant que la souffrance s'était déjà envolée et que des sensations d'une tout autre nature s'éveillaient en elle.

Elle remua les hanches, et il lâcha un soupir saccadé.

— Nous devrions arrêter…

— Non ! Non, je t'en supplie, n'arrête pas ! Continue…

Il la contempla un instant.

— Je serai doux, et tu n'auras plus mal…

Le cœur emballé, elle se contorsionna encore sous lui, lui arrachant un petit rire rauque.

— Tu es vraiment faite pour le plaisir, *azîz*, et je suis béni de pouvoir te prouver qu'il peut être immense, dit-il, modifiant légèrement sa position avant de se remettre à bouger en cadence.

Elle eut beau le supplier d'accentuer le rythme, il la prit avec une douceur affolante, au contraire, faisant de chaque poussée un tourment sensuel et délicieux. Et elle s'abandonna à ses sensations, l'implorant et le suppliant, aspirant à être totalement comblée.

— Tu es à moi, *azîz*, à moi seul, murmura-t-il.

Puis il modifia son rythme, soudain possessif et follement passionné. Quand elle atteignit avec lui le sommet du plaisir, elle cria son nom, encore et encore. Des larmes lui montèrent aux yeux, qu'elle se hâta de dissimuler sous ses paupières closes. Elle ne voulait pas trahir l'intensité des émotions qu'il lui avait fait ressentir.

Jamais elle n'aurait imaginé une telle intimité. Il n'y avait pas que la volupté. Il y avait aussi ce sentiment merveilleux de proximité et d'échange. C'était comme si, en lui faisant l'amour, il avait effacé l'esseulement qui, si longtemps, l'avait accompagnée. Pour la première fois de toute son existence, elle se sentait en parfaite union avec un autre être.

Elle le tint serré contre elle, savourant le poids de son corps viril sur sa chair et rêvant de rester ainsi, toujours… Mais il fallut bien que Zak se détache d'elle. Roulant sur le dos, il l'entraîna avec lui.

— C'était inouï, murmura-t-elle.

Trop intimidée pour le regarder, elle se blottit plus étroitement contre lui, déposant un baiser sur sa peau humide. Il ne répondit pas et, lorsqu'elle risqua un coup d'œil vers lui, elle vit qu'il avait les paupières closes.

Elle en fut troublée et désappointée. L'homme devait dire quelque chose en ces circonstances, non ? se demanda-t-elle. A moins que… qu'il n'eût rien à dire. De toute évidence, pour lui, cela n'avait rien eu d'inouï, pensa-t-elle, malheureuse et mortifiée. Elle l'avait déçu.

Qu'allait-il se passer, maintenant ?

Vierge. Elle était vierge avant de lui appartenir !

Zak demeura immobile jusqu'à ce qu'elle fût endormie. Puis, se dégageant en douceur de leur enlacement, il se leva et renfila son pantalon, l'air sombre. Une fois assuré qu'elle sommeillait encore, il écarta les pans de la tente et marcha dans le noir. Il avait besoin d'air, et de rassembler ses esprits.

Ignorant les gardes en faction, il contempla le ciel étoilé, et se demanda à quel moment il avait pu devenir cynique au point de ne plus croire à l'innocence. Quand avait-il cessé de croire aux autres ? D'être capable de confiance ?

Il passa une main sur son visage, songeant aux nombreuses fois où elle avait tenté de lui apprendre la vérité, et où il avait cru, au contraire, que sa nervosité n'était qu'une comédie, un calcul délibéré de sa part.

Guère accoutumé à se sentir coupable, il s'efforça de trouver des justifications à sa conduite. Etait-il réellement le seul à blâmer ? Il n'aurait pu s'attendre, en tout cas, à ce qu'une vierge accepte sa proposition avec autant de promptitude. Ce qui tendait à prouver qu'elle était aussi immorale qu'il l'avait d'abord supposé.

Ce qui le troublait un peu, c'était la raison de sa virginité prolongée, qu'il ne s'expliquait pas. Cependant, il songea qu'elle n'avait jamais dû être obligée, jusqu'ici, d'en venir à ce sacrifice. Et il était effaré de constater qu'elle puisse accorder si peu de prix à sa propre personne. Mais, de toute évidence, Emily Kingston était prête à tout pour obtenir l'effacement de la dette !

D'abord, elle avait tenté une évasion. Comme cela avait échoué, elle avait eu recours au chantage affectif habituel des femmes : larmes, évanouissement. Et puisqu'il ne cédait toujours pas, elle s'était rabattue sur le plus ancien piège du monde : la séduction. Ne lui avait-elle pas décoché des regards brûlants dès son arrivée au palais ? Et n'avait-elle pas enfin obtenu ce qu'elle cherchait depuis le début ?

Satisfait, il retourna dans la tente, résolu à avoir une explication avec elle. Mais, au premier regard qu'il jeta vers le lit, il s'arrêta. Elle dormait profondément, ses magnifiques cheveux blonds épars sur l'oreiller, son corps couvert d'un jeté de soie. Elle avait les joues rosies, et souriait légèrement dans son sommeil. Il eut un coup au cœur. Elle paraissait si jeune et si innocente ! Mais elle avait perdu cette innocence. C'était lui qui la lui avait enlevée.

Un désir violent s'empara de lui à cette pensée. Luttant contre l'envie de la réveiller pour renouveler leurs ébats et parachever son éducation érotique, il conclut qu'il avait décidément besoin d'une bonne douche froide avant d'envisager toute conversation avec elle.

Comme il allait se détourner, elle ouvrit les yeux et le vit. Lui adressant un sourire subtilement féminin, elle tendit une main vers lui en un geste d'invite.

— Pourquoi t'es-tu rhabillé ? lui demanda-t-elle d'une voix ensommeillée. Reviens au lit.

Il resta immobile et indécis, conscient de devoir partir, et pourtant incapable de rompre le lien invisible qui les unissait.

— Je ne crois pas que ce soit une bonne idée, étant donné les circonstances.

— Quelles circonstances ? dit-elle en se redressant d'un air dérouté.

Il serra les mâchoires, se remémorant à toute force qu'elle était femme, et donc rouée et manipulatrice.

— Si c'est parce que c'était la première fois pour moi…, murmura-t-elle avec hésitation.

— J'ai été surpris.

— Je ne vois pas pourquoi, souffla-t-elle. Je te l'ai pourtant dit à plusieurs reprises.

Il ne l'avait pas crue. Quand une femme lui avait-elle dit la vérité, auparavant ?

— Je n'ai pas été à la hauteur, n'est-ce pas ? dit-elle avec une expression anxieuse. C'est pour ça que tu as quitté le lit.

Il vit ses doigts se crisper sur le drap, son sourire s'effacer, et il se raidit. Puis, songeant qu'il aurait eu tort de la repousser puisqu'elle s'offrait si librement, il alla s'asseoir près d'elle.

— Je n'ai pas quitté le lit, dit-il. J'ai eu besoin de prendre l'air.

Et de réfléchir.

Elle rougit, puis regarda sa bouche. Elle n'arrêtait pas de faire ça et, chaque fois, il avait envie de l'écraser sous lui et de l'embrasser à lui en faire perdre la raison.

— J'étais très nerveuse, avoua-t-elle timidement. Mais c'était extraordinaire. Est-ce que tu es fâché ?

La courtepointe de soie glissa, et il entrevit la naissance de ses seins, dans la pénombre. Elle était d'une beauté renversante et lui adressait un regard plein d'espoir.

— Fâché ? Sûrement pas, dit-il en se débarrassant prestement de son pantalon pour la rejoindre.

Après tout, ce ne serait plus la *première* fois...

Elle l'enlaça avec un soupir d'aise, et il l'embrassa impérieusement, embrasé déjà par sa complicité docile. Elle glissa sa main vers la partie la plus virile de son anatomie, sans timidité, cette fois, lui délivrant une caresse presque intolérable. C'était elle, maintenant, qui avait l'initiative...

Un instant plus tard, alors qu'elle se glissait sur lui, l'enveloppant de sa chair féminine, et qu'il rivait dans ses yeux bleus ses pupilles ardentes, il se demanda quand il avait eu autant de plaisir, et échoua à trouver des circonstances plus enivrantes...

« C'est parce qu'elle était vierge, songea-t-il, cherchant à minimiser la violence de ses sensations. C'est parce que c'est moi qui lui fais découvrir le plaisir... »

Résolu à rester maître de lui-même, il ferma les yeux et la saisit par les hanches pour imprimer un tempo plus mesuré à ses mouvements. Mais, dans un gémissement de protestation, elle lui résista, accentuant la cadence, leur procurant un plaisir partagé, torride et explosif.

126

Tandis qu'elle s'affalait sur lui et qu'il l'emprisonnait dans ses bras, il songea, tout en luttant pour recouvrer son légendaire sang-froid, que, décidément, les choses ne tournaient pas comme il l'avait prévu !

9.

Zak n'était plus là.

Emily se redressa vivement et balaya du regard l'intérieur de la tente, constatant avec désarroi qu'il avait déserté les lieux. Si elle avait eu besoin de s'assurer que la nuit écoulée avait été un désastre, elle aurait eu à présent la confirmation qu'elle attendait…

Se remémorant leurs ébats, et son absence d'inhibitions, elle ne put retenir un gémissement consterné. « Implorante et pâmée… » N'était-ce pas ce qu'il avait prophétisé ? Elle avait même quêté d'autres échanges, à plusieurs reprises… Plus elle réfléchissait, et plus il lui semblait évident qu'il était loin d'avoir apprécié autant qu'elle leurs ébats. Mais, perdant la tête, elle l'avait sollicité sans pudeur, le contraignant pratiquement à la rejoindre.

Il prétendait que les femmes se jetaient sur lui, et cela n'avait rien d'étonnant ! C'était ainsi qu'elle-même avait agi, pensa-t-elle, rouge de confusion. Seigneur ! Comment allait-elle pouvoir l'affronter après cela ? Elle devait pourtant conserver sa dignité, attendre qu'il la raccompagne au palais. Il avait annulé la dette de Peter. A en juger par ses réactions de la nuit passée, il ne considérait pas qu'il avait gagné au change en l'épousant !

Elle se demandait comment elle allait réussir à s'éclipser discrètement, lorsqu'il rabattit la toile de l'entrée et pénétra dans la tente, vêtu de pied en cap. Il venait visiblement de se doucher. Ses cheveux humides étaient ramenés en arrière, il était rasé de près, et si beau qu'elle en eut le cœur chaviré.

Ne sachant que dire, elle ramena les draps sur elle, puis le regarda avec circonspection.

— Tu n'as rien mangé, hier soir. Tu dois avoir faim, dit-il.

Il claqua des doigts, et une armée de servantes apparut, disposant sur la table miraculeusement nette divers mets et boissons. Emily les regarda faire, ébahie. On avait dû débarrasser pendant son sommeil…

Une fois les plats disposés, les femmes disparurent après force courbettes, et Zakour, se rapprochant du lit, lui tendit un peignoir.

— Tiens. Tu y seras sans doute plus à l'aise que dans la robe bleue.

— Merci, murmura-t-elle, se saisissant du vêtement d'une main et retenant toujours les draps de l'autre.

Elle parvint à passer le peignoir sans exhiber un pouce de chair. Alors, balançant ses jambes vers le sol, elle se mit debout en réprimant un gémissement. Elle était pleine de courbatures !

Zak posa sur elle un regard inquisiteur, et elle sourit tranquillement, se contraignant à gagner la table avec une apparente aisance de mouvements.

— Mmm, le café sent bon.

— Nous savons bien le faire, dit-il en se glissant près d'elle.

Il savait aussi bien faire l'amour, pensa-t-elle.

— J'aimerais te parler de cette nuit, dit-il avec raideur.

Elle se crispa aussitôt, en plein désarroi. Elle n'avait aucune envie d'aborder ce sujet, elle ! Elle n'avait nul besoin de s'entendre dire qu'elle s'était comportée comme il l'avait prédit, ou qu'il avait découvert sa virginité avec horreur !

— Ça a l'air délicieux, dit-elle en désignant un assortiment de petits gâteaux dans l'espoir de le détourner de son but.

Il lui tendit le plat en la considérant d'un air sérieux, et énonça :

— Nous avons à discuter beaucoup de choses.

Puisqu'il n'y avait pas moyen d'éviter cette conversation, autant en finir sans traîner ! Mordant avec décontraction dans l'un des gâteaux, elle lança :

— Que peut-il y avoir à dire ? Tu as gagné. Point final.

Il demeura muet sous le choc, la dévisageant d'un air incrédule.

— J'ai gagné ? dit-il enfin.

— Oui. C'est bien de ça qu'il s'agit, non ? Tu voulais me prouver que je pouvais t'implorer, et c'est exactement ce que j'ai fait. Tu peux accrocher un autre scalp à ta ceinture.

Il crispa les mâchoires, habité par une tension inhabituelle.

— Ce n'est pas ce qui s'est produit la nuit dernière.

— Vraiment ? dit-elle, repoussant les plats qui ne la tentaient plus. Si tu crois que je n'ai pas remarqué ton manège ! Tu as passé ton temps à essayer de t'esquiver hors de la tente. Ce n'est pas particulièrement flatteur, je dois dire.

— Jusqu'à hier soir, j'ignorais que tu étais vierge.

— Si tu es cynique, je n'y suis pour rien, répliqua-t-elle en refoulant un coup au cœur. Tu as découvert que mon expérience sexuelle est des plus limitées, et maintenant, tu voudrais renégocier notre contrat.

— Contrat ?

130

— Eh bien, continua-t-elle en s'efforçant de cacher sa souffrance intérieure, tu n'avais pas prévu de devoir donner des leçons de plaisir au lit ! Reconnais-le.

Stupéfait de la voir si agressive, Zak marqua une hésitation.

— C'est vrai en un sens, mais je…

Il s'interrompit, contrarié d'entendre du bruit à l'extérieur de la tente.

— J'avais donné ordre que personne ne me dérange, dit-il avec colère.

— Mais je ne suis pas personne, répondit une voix féminine.

Et une femme écarta la toile de l'entrée, s'immobilisant sur le seuil avec un sourire provocant et plein d'espoir.

— Danielle ! souffla Zak.

Danielle ? s'étonna Emily. Pourquoi la belle-sœur de Zak venait-elle lui rendre visite dans le désert ? Et pourquoi était-elle vêtue comme pour assister à un cocktail ?

Consciente de la tension qui régnait entre le prince et sa visiteuse, elle coula un regard vers la robe rouge de Danielle, si courte qu'elle révélait ses jambes de façon indécente. Quant à son rouge à lèvres, il était aussi écarlate que le tissu.

Se remémorant les commentaires qu'elle avait elle-même essuyés à propos de sa tenue le jour où elle s'était aventurée dans le souk, Emily décida que Zakour al-Farisi était un fieffé hypocrite ! Puisque c'était-là la tenue de sa belle-sœur, de quel droit avait-il fustigé ce jour-là sa robe longue jusqu'aux chevilles ? Cela dit, il fallait admettre que Danielle était extrêmement belle — d'une beauté exotique et ténébreuse. Ses magnifiques cheveux bruns avaient l'intense couleur du chocolat fondu.

— Tu m'as ordonné de rentrer, Zak, dit-elle avec un sourire de panthère. Eh bien, me voici !

Il la toisa avec une colère non dissimulée.

— Je t'ai ordonné de revenir à Kazban.

— Où j'ai découvert en arrivant que tu étais parti, murmura-t-elle, provocante et sensuelle.

Nichée au creux des coussins dans son peignoir éponge blanc, Emily eut la nette impression de sombrer dans l'insignifiance. Le peu d'assurance qui lui restait s'effondra d'un seul coup.

— Tu as été invitée à rentrer pour t'occuper de ton fils, et non pour mon bénéfice, assena Zak, glacial.

Emily frémit. S'il s'était adressé à elle sur ce ton, elle se serait ratatinée sur place. Mais Danielle était apparemment d'une autre trempe, et elle se contenta de sourire.

— Jamal m'a appris que tu étais marié, ronronna-t-elle en décochant à Emily un regard hostile. J'ai eu du mal à le croire, étant donné les circonstances.

Zak se leva, la mine sombre.

— Tu ne devrais pas être ici…

Danielle l'ignora, fixant Emily du regard.

— Ne vous imaginez pas que vous êtes à part ! Il vous a épousée pour me punir.

Laissant échapper quelques mots en arabe, Zak traversa la pièce, arborant une expression éloquente.

— Sors d'ici avant que je t'en fasse chasser ! dit-il.

Ignorant son rejet glacial, Danielle posa une main sur son bras, en lui décochant un lent sourire.

— Je comprends que tu sois en colère. Je sais que c'était très frustrant pour toi de m'avoir si près de toi et de ne pas pouvoir me toucher. Eh bien, cela va changer. J'ai pris des décisions, pendant que j'étais à Paris.

Guère impressionné, Zak lui opposa un air de froideur et de dédain.

— Je me fiche de tes décisions, laissa-t-il tomber.

Mais Danielle lui répondit par un haussement de sourcils, et un sourire plus provocant encore que le premier.

— Vraiment ? Même lorsqu'elles te concernent ?

— Tes décisions te regardent, riposta-t-il durement, s'écartant de plusieurs pas pour établir une distance significative entre lui et cette femme qui le contemplait avec un désir sans fard.

— Zak…

— Tu n'as rien à faire ici…

— Tu veux dire à cause d'elle ? dit Danielle en désignant Emily avec un haussement d'épaules. Nous savons tous que ce mariage n'est qu'une mascarade. Comment pourrait-il en être autrement ? Et si tu crains que je sois jalouse, rassure-toi. Tu es très viril, Zak, je ne me suis jamais attendue à ce que tu mènes une vie de moine. Crois-tu que je ne sache pas pourquoi tu l'as épousée ?

— Danielle…, dit-il d'un ton d'avertissement.

— Tu es toujours destiné à me punir pour l'erreur que j'ai commise. Mais crois-tu vraiment que… que *ceci* changera quelque chose ? dit-elle en désignant Emily.

Emily se figea. Elle savait que son mariage avec Zak était un arrangement d'affaires. Mais il ne lui était jamais venu à l'esprit que le prince pût avoir une autre femme dans sa vie ! Sans qu'elle puisse comprendre pourquoi, cette découverte lui fit mal. Quant à Zak, il ne lui accordait même pas un regard. Son attention était accaparée par Danielle, et comment s'en étonner ? Elle était d'une beauté saisissante.

— Tu as fait ton choix, Danielle, dit-il rudement. Et maintenant, je suis libre de faire le mien.

— Et tu me punis, comme je le disais, enchaîna celle-ci d'une voix douce. Nous sommes à égalité, maintenant.

Elle jeta à Emily un regard moqueur.

— Elle est très douce. Mais pas du tout ton genre.

Zak plissa les paupières, comme il se tournait enfin vers Emily. Sa tension parut s'alléger un peu, et il admit :

— En effet, ce n'est pas le genre que j'affectionne.

— Ton père a toujours souhaité notre mariage, et tu as toujours voulu être ton propre maître. Je crois que tu as prouvé ce que tu voulais prouver, non ? Nous pouvons aller de l'avant, maintenant.

Zak la scruta, plongé dans un silence morose. Puis il hocha lentement la tête.

— Je suis d'accord. Je rentre à Kazban aujourd'hui. J'aurais dû prendre des mesures voici longtemps. Je n'ai que trop attendu.

— Alors, je te reverrai au palais, dit gaiement Danielle.

Zak claqua des doigts pour faire venir les servantes. Lorsque Danielle quitta la tente, Emily se replia sur elle-même. Zak voulait rentrer à Kazban sans tarder, et comment aurait-on pu le lui reprocher ?

Se sentant tenue de se manifester, elle dit en se contraignant à sourire :

— Vous avez visiblement un lourd passé commun, elle et toi.

Zak marmonna quelque chose en arabe, arpentant la tente pour soulager la tension qui s'était emparée de lui.

— C'est moi qui l'ai amenée à Kazban voici dix ans, dit-il en homme qui lâche une confession.

— Oh, je vois…, murmura-t-elle avec un coup au cœur.

— J'en doute, dit-il, comme à bout de patience. Il faut que je retourne à Kazban séance tenante.

— Bien sûr, murmura-t-elle, s'efforçant de dissimuler sa déception.

Qu'avait-elle espéré ? Qu'il la garderait ici, avec lui ? Que la nuit écoulée pouvait se rééditer ? « Retombe sur terre », s'intima-t-elle l'ordre. Il fallait revenir à la réalité de leur arrangement.

La semaine suivante ne fut qu'une interminable succession de dîners et de réceptions, et, à chacun de ces événements publics, Danielle était là, le regard rivé sur Zak.

En dehors du fait qu'elle se trouvait assise près de lui lors des dîners, Emily ne le voyait guère. La plupart du temps, Zak était avec son père, ou bien avec Sharif. Elle passait donc ses journées à donner des leçons à Jamal et à jouer avec lui dans le beau jardin du palais. Elle faisait aussi des promenades à cheval dans le désert.

La nuit, elle dormait seule dans un appartement si vaste qu'elle aurait pu s'y perdre. Elle ignorait où dormait Zak, mais à en juger par l'expression triomphante de Danielle, elle devinait la réponse. Pourquoi l'avait-il épousée ? Pourquoi n'avait-il pas pris Danielle pour femme ?

Pour finir, un soir où elle se tenait assise avec raideur à côté de lui, lors d'une réception, elle décida de prendre le taureau par les cornes. Elle plaça une main sur son bras, non sans avoir souri d'un air d'excuse à l'ambassadeur étranger situé à sa gauche.

— J'ai à te parler, lui dit-elle.

Au lieu de se tourner vers elle, il saisit son verre de vin.

— Je veux divorcer, lui déclara-t-elle de but en blanc.

Il suspendit son geste.

— Tu as de drôles de sujets de conversation pour une réception, lui dit-il enfin de sa voix nonchalante, en se décidant à la regarder.

Enfin, elle avait capté son attention !

— Comme je ne te vois pas de la journée, je suis contrainte de saisir la première occasion qui se présente, souligna-t-elle.

Puis elle sourit au ministre du Tourisme attablé en face d'elle, masquant sous une attitude détendue le caractère sérieux de leur entretien.

— Je ne souhaite pas discuter de ceci en public, observa-t-il d'un ton glacial.

Refusant de se laisser intimider, elle soutint :

— Mieux vaut l'avoir en public que pas du tout. Tu ne cesses de m'ignorer et cela me fait horreur. Je veux divorcer.

Il lâcha en levant son verre :

— Tu ne peux pas divorcer. Nous avons passé un accord.

— Il ne spécifiait pas que tu aurais une maîtresse. Je refuse d'être humiliée ainsi.

Il la dévisagea avec étonnement.

— Tu veux bien répéter cela une nouvelle fois ?

Vacillant sous son regard noir, elle regretta de n'avoir pas attendu un moment d'intimité pour lui parler.

— Il est évident que tu couches avec Danielle, marmonna-t-elle, provoquant de sa part un haussement de sourcils ironique.

— Une nuit dans mon lit, et te voilà experte en relations sexuelles ?

Elle eut un coup au cœur au rappel de cette nuit.

— Si je manque d'expérience, tu n'as à t'en prendre qu'à toi, répondit-elle, tendue. Je n'ai guère eu l'occasion de me perfectionner.

136

Il y eut un silence lourd de sens et, tout à coup, le décor autour d'elle sembla disparaître. Elle n'avait plus conscience que de la présence de Zak. Son regard noir se vrilla dans le sien, et il émit un curieux soupir. Puis, soudain, il se leva, sans prêter attention au fait que les convives s'étaient tus, tout autour de la table. Sans fournir la moindre explication à ses hôtes, il tendit une main en direction d'Emily, et elle rougit, peu habituée à être le point de mire de tous.

— Je voulais juste discuter, lui murmura-t-elle. Je n'ai pas cherché à provoquer un scandale.

— C'est curieux, murmura-t-il rien que pour elle seule. J'avais cru comprendre que tu voulais te perfectionner.

Elle rougit comme une pivoine, et il l'entraîna hors de la salle, sans se soucier des murmures spéculatifs que faisait naître leur départ précipité.

Emily sentit un élan d'excitation s'emparer d'elle. Depuis leur nuit à l'oasis, ils n'avaient pas eu un seul moment d'intimité… Jusqu'à cet instant !

Dédaignant les saluts obséquieux des gardes, Zak l'entraîna à travers couloirs et escaliers, jusqu'à une partie du palais où elle n'avait encore jamais pénétré.

— Où sommes-nous ? demanda-t-elle.

— Dans mon appartement, dit-il, l'entraînant toujours à sa suite.

Une fois à l'intérieur, il claqua la porte et lui lança :

— Alors ? Qu'est-ce que c'est que ces stupidités à propos de Danielle ?

Elle déglutit avec difficulté, réduite au silence par son regard farouche. Il était si séduisant ! pensa-t-elle, désemparée. Quant à elle, elle était grotesque. Elle se montrait jalouse, alors qu'elle n'avait nulle raison de l'être. Car pour être jalouse, il fallait être amoureuse. Et elle ne l'était certes pas ! Elle… elle…

Elle le dévisagea avec horreur, rejetant violemment la seule explication plausible de sa réaction émotionnelle au fait qu'il couchait avec Danielle. Elle ne tenait nullement à Zak ! Elle ne tenait pas du tout à lui !

— Je... j'ai cru que..., murmura-t-elle, se surprenant soudain à balbutier. Comme je ne t'ai pas vu depuis notre retour, et que Danielle ne cesse de sourire...

— Ah, parce que tu as conclu que j'étais la cause de ce sourire ?

— Tu m'as épousée pour la rendre jalouse.

Elle vit sa mâchoire se contracter.

— Je t'ai épousée parce que cela me convenait. Et parce que c'était une façon de signifier à Danielle que je n'étais pas disponible.

Emily sentit renaître un peu d'espoir.

— Tu as passé une nuit avec moi, où tu as tenté de me fuir en te réfugiant dans le désert. Ensuite, nous sommes revenus ici et je ne t'ai plus vu. Chaque fois que j'ai aperçu Danielle, elle avait l'air réjoui. Que veux-tu que je pense ?

— Que je t'accorde un peu de répit ? suggéra-t-il.

— Oh ! lâcha-t-elle avec surprise. Et pourquoi donc ?

— J'ai cru faire preuve de tact. Mais visiblement, je n'ai pas été compris.

Soudain toute chose, elle murmura :

— Je n'ai pas besoin d'autant de répit que ça...

— Combien t'en faut-il, alors ?

— Aucun.

Il passa une main dans ses cheveux en laissant couler un long soupir saccadé.

— J'ai eu une rude journée, dit-il enfin. Je vais prendre une douche. Après, nous poursuivrons cette discussion.

Il sortit à grands pas, la laissant seule et frustrée. Parler ? Il n'avait donc pas écouté ce qu'elle lui avait dit ? Elle ne voulait pas parler ! pensa-t-elle, arpentant la pièce tandis que le bruit étouffé d'une douche lui parvenait à peu de distance.

Elle le découvrit soudain devant elle, nu à l'exception d'une serviette nouée sur ses hanches. Son cœur fit un bond, et elle contempla avec fascination sa silhouette virile. Elle vit flamber une passion brute dans son regard, et avança vers lui, le souffle soudain plus court.

— Tu étais très distante, après notre nuit ensemble. Dédaigneuse. Et je sais que je t'ai fait mal.

— Est-ce pour cela que tu t'es éloigné de moi ?

— En dépit de tout ce que tu peux penser à mon sujet, j'ai été très choqué de découvrir ta virginité. Et j'étais en colère, admit-il d'une voix rauque, en ramenant en arrière ses cheveux blonds. J'étais furieux que tu m'aies donné si légèrement quelque chose de si précieux, et furieux de ne pas t'avoir crue. Tu méritais mieux.

Mieux ? pensa-t-elle. Etait-ce donc possible ?

— Cela n'a aucune importance, Zak, dit-elle, posant une main sur son torse.

Elle le sentit se crisper, et comprit soudain qu'il avait peur de la toucher. C'était donc à elle de prendre l'initiative... S'inclinant vers lui, elle posa ses lèvres au creux de son épaule, effleurant sa chair avec sa langue. Il y eut un instant de tension extrême. Puis, avec une exclamation rauque, il l'attira à lui. Sa bouche s'empara de la sienne avec une passion brûlante, et elle laissa couler un gémissement de soulagement, aspirant à être aimée comme il l'avait aimée dans le désert.

Chaque nuit depuis ce soir-là, elle était restée longuement éveillée dans son lit, se remémorant chacune de ses sensations, et l'attente l'avait mise sur des charbons ardents. Lorsqu'elle sentit enfin ses mains brunes s'attaquer à la fermeture à glissière de sa robe, elle l'encouragea par un bruit de gorge sourd.

Le vêtement glissa à ses pieds, et elle apparut vêtue de ses seuls sous-vêtements.

— C'est une très belle robe, mais je te préfère nue, dit-il d'une voix rauque.

Avec une hardiesse qu'elle ne se connaissait pas, elle tendit la main et le délivra prestement de la serviette qui lui ceignait les hanches.

— Regarde ce que tu as fait, plaisanta-t-il doucement, l'emportant entre ses bras vers le vaste lit.

Il l'y allongea en souplesse et la couvrit de son corps, très mâle, très maître de lui. Puis il inclina la tête vers la pointe d'un sein, refermant ses lèvres dessus. Elle se contorsionna et gémit sous la caresse.

— Tu es si impatiente, *azîz*, souffla-t-il en déposant une pluie de baisers sur son corps frémissant. Et j'adore que tu me veuilles avec autant d'emportement que moi. J'ai essayé de rester loin de toi. Je t'ai même installée dans ton propre appartement pour ne pas être tenté de te toucher.

— Je veux que tu me touches, murmura-t-elle en s'abandonnant aux caresses qu'il lui dispensait. Zak, je t'en prie…

— Non, dit-il d'une voix rauque. La dernière fois, je t'ai fait mal. Cela ne se reproduira pas.

Et il continua à la solliciter en douceur, lui faisant découvrir des subtilités insoupçonnées…

Après l'orgasme, aussi impétueux qu'une tempête, elle demeura lovée contre lui, comblée et émerveillée. Il était encore en elle, et elle aurait aimé rester ainsi toujours, à écouter battre son cœur.

— C'est si bon, avec toi, *azîz*, murmura-t-il, roulant sur le dos et l'entraînant avec lui.

140

Elle se cramponna à lui, aux prises avec une émotion intense. La vérité, tout à coup, s'imposa à elle comme la clarté aveuglante d'un éclair. Elle savait pourquoi elle était jalouse de Danielle ! Ce n'était pas pour effacer une dette de huit millions qu'elle avait épousé Zak.

Ce n'était pas non plus pour préserver Peter.

Elle l'avait épousé pour son propre bénéfice. Parce qu'elle était amoureuse de lui.

10.

Lorsqu'elle s'éveilla le lendemain, elle le découvrit levé, et vêtu d'un costume sombre qui mettait en valeur sa beauté athlétique et ténébreuse.

— Nous devons terminer notre conversation d'hier, lui dit-il. J'aurais dû t'avertir que Danielle est une manipulatrice de premier ordre. Ne te laisse pas influencer par elle.

Elle se redressa tant bien que mal, encore ensommeillée. Il ne lui avait guère laissé le loisir de dormir, pendant la nuit écoulée...

— C'est à cause d'elle que tu es aussi cynique au sujet des femmes ? s'enquit-elle. Parce qu'elle est manipulatrice ?

— Pas seulement à cause d'elle, dit-il. A Kazban, toutes les femmes jouent au feu avec moi, et font des calculs en rapport avec l'argent ou le pouvoir que je détiens. Aucune de celles que je rencontre n'est droite et franche.

Emily se pénétra de cette information, qui devait contenir une très grande part de vérité. Elle eut un accès de découragement. Comment aurait-elle pu venir à bout de ses soupçons et de son cynisme, puisqu'ils étaient largement justifiés ?

— Où te rends-tu ? s'enquit-elle.

Et elle le regarda avec espoir, même si elle n'avait pas le courage de lui demander de la rejoindre.

142

— J'ai des affaires à traiter, lui répondit-il d'une voix troublée. Et je n'ignore pas que ce sont les exigences des affaires qui nous ont privés d'une véritable lune de miel. Quand j'en aurai fini, nous retournerons à l'oasis et nous passerons quelque temps seuls ensemble. Et cette fois, nous ne serons pas dérangés !

En l'entendant parler de l'oasis, elle se sentit fondre. Lisant dans son esprit, Zak lui décocha un sourire éloquent.

— C'était une nuit très particulière, *habibati*, en dépit de notre malentendu. Nous retournerons là-bas dès que je le pourrai.

Elle réalisa soudain qu'il menait une existence réellement très policée, sans grande liberté, et qu'elle le connaissait très peu.

— Zak… au sujet de notre mariage…

— Nous ne reparlerons pas de notre mariage, dit-il avec une tension soudaine. Hier soir, tu étais bouleversée. Qu'il n'en soit plus question.

Il parlait de sa requête, du divorce, pensa-t-elle. Prenant une profonde inspiration, elle lâcha en balbutiant :

— C-comment ce mariage pourrait-il réussir alors que t-tu ne m'aimes pas ?

— Un mariage réussi n'a rien à voir avec l'amour, répliqua-t-il aussitôt. L'expression « contrat de mariage » dit bien ce qu'elle veut dire.

Un contrat de mariage ? Avec ces quelques mots, il venait de réduire en miettes ses rêves naïfs. Elle le contempla, tourmentée par la frustration et l'impuissance. L'amour, Zak ignorait ce que c'était !

Mais peut-être pouvait-elle l'y initier ? se demanda-t-elle dans un élan d'espoir. Avec du temps, elle parviendrait peut-être à le dépouiller un peu de son cynisme.

Durant leur séjour au palais, Emily passait la majeure partie de sa journée à jouer avec Jamal. Même si la nouvelle nounou était douce et affectueuse, le petit ne cessait de la réclamer, et elle était ravie de le distraire. Quant à Danielle, nul ne l'avait vue depuis le soir où Zak l'avait entraînée hors de la salle des banquets.

Zak quittait ses appartements tôt le matin et n'y revenait qu'en fin de soirée, au moment, souvent, où elle était déjà endormie. A en juger par son expression plutôt sombre, elle devinait que le palais devait connaître quelque crise latente. Mais, chaque fois qu'elle cherchait à en savoir plus à ce sujet, il prenait un air rembruni et changeait de sujet.

Signe qu'elle ne faisait pas réellement partie de son existence, conclut-elle alors qu'elle rangeait les jouets que Jamal avait éparpillés dans leur appartement. Si elle aimait Zak, il ne lui rendait certes pas son amour.

Sauf au lit.

Depuis leur première nuit dans ses appartements, il la rejoignait chaque soir, et se montrait si exigeant et si passionné que, souvent, elle ne s'éveillait pas avant le milieu de la matinée. Elle était ébahie par son énergie. Pendant la journée, c'était un bourreau de travail, et pendant la nuit, il passait la majeure partie du temps à l'épuiser de volupté pour se lever frais et dispos chaque matin. Elle profitait d'un long sommeil réparateur pour effacer les effets de sa virilité débordante.

Elle était cependant heureuse d'avoir cet exutoire à son amour. Si elle ne pouvait le lui déclarer, elle pouvait du moins le lui prouver au lit, et leur vie sexuelle était grisante.

Leur bonheur ne passait pas inaperçu !

Après une soirée officielle particulièrement longue, où elle aspirait avec impatience à rejoindre leurs appartements, une femme vint l'embrasser sur le front, en murmurant des mots qu'elle ne comprit pas. Elle se tourna vers Zak pour qu'il les lui traduise.

— Elle vient de prédire que tu aura beaucoup de beaux enfants, lui dit-il en posant sur elle son regard de braise. Tiens ! Tu as encore rougi.

Devait-elle souligner, se demanda-t-elle, que ce n'était pas la pensée de faire des enfants qui la faisait rougir, mais l'idée de les faire avec lui ?

— J'adore les enfants, dit-elle.

— Excellente nouvelle, dit-il, pince-sans-rire. Car, étant ma femme, tu es naturellement censée me donner une nombreuse progéniture.

Elle déglutit avec difficulté.

— Nous n'avions pas parlé d'enfants.

— Comme on considère en général qu'ils vont de paire avec le mariage, il ne m'a pas paru nécessaire de mentionner le fait, dit-il en repliant ses doigts bruns sur son poignet pour l'entraîner loin de la table.

« Ils vont de paire avec le mariage » ? pensa-t-elle. Jamais elle n'avait entendu une expression aussi dénuée de sentiment pour parler d'enfants !

— Qu'est-ce qu'il y a ? Quelque chose ne va pas ? demanda Zak, haussant les sourcils.

— Oui, lui répondit-elle tout en continuant à sourire pour la galerie. J'ai peine à croire que tu aies une vision aussi piètre du mariage et de la famille.

— Je suis réaliste, voilà tout. Et j'ai du sens pratique. Tu devrais t'en réjouir, sinon, nous ne serions pas ici, commenta-t-il avec amusement. Dois-je te rappeler, d'ailleurs, qu'en dépit de ton goût pour les contes de fées, tu m'as épousé pour la coquette somme de huit millions de livres ? Ce n'est guère romantique, *azîz*.

Elle sentit son cœur se serrer, et se demanda comment il réagirait s'il apprenait la véritable nature de ses sentiments pour lui…

— Détends-toi donc, lui murmura-t-il doucement, et son souffle effleura sa joue. Après tout, tu as le prince.

Et les tonnes de cynisme qui allaient avec ! pensa-t-elle. Elle commençait à comprendre qu'il n'y avait pas une once de rêve et de romantisme en lui.

— Tu rêvasses encore, alors que c'est la réalité qui compte, lui déclara-t-il avec fermeté. Notre union sera réussie, *azîz*, parce qu'elle n'est pas entachée de sensiblerie. Tu affirmes aimer les enfants, ce qui est essentiel pour une épouse princière. Et j'adore être le seul homme que tu aies connu dans l'intimité.

Bref, songea-t-elle, pour lui, tout se résumait à une question d'ego. Elle le dévisagea, frustrée, impuissante, réalisant qu'il parlait avec conviction.

Il lui décocha un lent sourire, sensuel et prometteur, et lâcha :

— Souris donc pour dire adieu à la compagnie. J'ai envie d'emmener ma femme au lit, et je n'ai nul besoin pour ça de l'approbation de ma famille.

Quelques semaines après leur retour au palais, alors qu'elle lisait un livre, pelotonnée sur le canapé de leur appartement, il vint la trouver, brandissant un petit paquet sous son nez.

— Qu'est-ce que c'est ? s'enquit-elle avec circonspection.

— La preuve que je peux me montrer romantique ? suggéra-t-il d'une voix grave, en déposant sur ses lèvres un petit baiser provocant, follement tentateur. La nuit dernière était magnifique, *azîz*. Et elle prouve qu'un mariage arrangé peut marcher formidablement bien.

Que dirait-il si elle lui avouait qu'elle l'aimait ? se demanda-t-elle, la gorge sèche.

Il détalerait dans le désert, conclut-elle avec une dérision désabusée, en tendant la main pour saisir la petite boîte. Ou alors, il ne la croirait pas. Il ne prêtait jamais foi à ce qu'une femme lui disait, semblait-il.

L'emballage défait révéla un écrin de velours.

— Ouvre, la pressa Zak. Je l'ai personnellement choisi dans notre héritage familial.

Elle allait lui demander ce qu'il y avait de particulier à cela, puis se rappela qu'un prince avait bien entendu toute une armada de serviteurs pour choisir en son nom le cadeau qu'il destinait à une femme.

Elle ouvrit l'écrin, et laissa échapper un cri de plaisir. Il y avait là un pendant en forme de cœur — un diamant d'une si grande beauté qu'Emily fut littéralement éblouie par les éclats qu'il diffusait à la lumière.

Zak l'ôta du boîtier et l'accrocha autour de son cou avec un sourire d'arrogante fierté.

— C'est un diamant très rare, *azîz*, lui assura-t-il. Mon arrière-grand-père en avait fait cadeau à son épouse le jour de leurs noces. Il était *très* amoureux d'elle.

Alors, pourquoi Zak le lui donnait-il ? s'interrogea-t-elle avec une émotion étrange.

Pas par amour, bien sûr, mais...

— Il est magnifique, dit-elle en se contemplant dans le miroir devant lequel il l'avait amenée. Merci.

Soulevant les mèches de ses cheveux, il s'inclina pour déposer un baiser troublant sur sa nuque, murmurant :

— Tu me distrais terriblement... J'ai de plus en plus de mal à travailler en te sachant ici à m'attendre...

147

« Ce n'est que de l'appétit sensuel », se dit-elle avec fermeté, fermant les paupières et se laissant aller en arrière tandis qu'il l'attirait contre lui, viril et tentateur. « Il n'est pas question d'y voir autre chose… »

Dans un gémissement sourd, il la fit pivoter vers lui.

— Je te veux rien que pour moi, murmura-t-il en lui dispensant un baiser brûlant et passionné. Cet après-midi, je t'emmène à l'oasis. Je n'ai que trop tardé.

— L'oasis ? Mais, et ton travail ?

— Il attendra. Je n'ai été que trop privé de ma femme. Nous partirons le plus tôt possible.

— Mes bagages ne sont pas prêts !

— On s'en chargera.

— Mais… il y a Jamal… Je t'en prie, je n'aimerais pas le laisser ici. Danielle ne s'en occupe pas du tout.

C'était pour compenser cet abandon maternel qu'elle avait passé de si longues heures avec le petit. Elle savait qu'il avait besoin d'elle.

Zak la considéra avec amusement.

— Je t'annonce que je veux être seul avec toi, et tu souhaites emmener mon neveu ?

Elle rougit violemment, en disant :

— Je ne m'en occuperais que dans la journée…

— J'avais des projets pour les journées aussi, lui dit-il avec un demi-sourire. Mais si tu tiens à emmener Jamal, eh bien, soit ! Il nous accompagnera. Et sa nounou aussi, qui pourra prendre soin de lui.

Lui effleurant doucement la joue, il conclut :

— J'ai l'intention de te donner beaucoup d'occupation, *azîz*.

Ils parvinrent à l'oasis en fin d'après-midi. Tout était prêt pour leur séjour. Les serviteurs avaient apprêté un repas, mais Emily commença par prendre soin de Jamal. Elle le nourrit, puis lui fit prendre un bain, puis lui lut une histoire. Elle retourna ensuite dans la tente où elle dormirait avec Zak.

En revoyant ces lieux chargés de souvenirs, elle s'empourpra comme une pivoine. Tout était resté gravé dans sa mémoire, et la seule vue de l'immense lit suffisait à éveiller son désir...

Zak, assis à une table, consultait des documents d'un air concentré, en fronçant légèrement les sourcils. Et elle se sentit heureuse de le savoir là, même s'il n'était pas amoureux d'elle.

— Combien de temps restons-nous ? lui demanda-t-elle.

Il leva la tête, légèrement rembruni.

— Tu n'aimes pas le désert ?

— Si, il me fascine, avoua-t-elle.

Il se carra de nouveau sur son siège, une étrange expression dans le regard.

— Cela me fait plaisir, lui dit-il. C'est un endroit particulier à mes yeux, parce que c'est d'ici que viennent mes ancêtres et c'est la terre chère à mon cœur. C'est aussi le lieu où tu t'es donnée à moi pour la première fois, *azîz*, et ce souvenir reste gravé en moi.

Il était gravé en elle aussi...

Elle eut un sourire timide.

— Alors, combien de temps pouvons-nous rester ?

— Jusqu'à ce que les affaires m'imposent un retour, répondit-il tranquillement.

149

Il claqua des doigts en direction d'une servante, qui s'éclipsa aussitôt pour rapporter des plats chargés de mets et des carafes de vin.

— Viens, reprit-il. Détendons-nous et mangeons.

Emily alla s'installer sur le divan, contre les coussins, et elle contempla Zak, en se demandant si elle serait un jour capable de le voir sans éprouver un désir aigu. Il était presque trop beau, et tellement sensuel ! La seule pensée de ce qu'il lui faisait éprouver au lit bouleversait ses sens…

S'arrachant à sa contemplation avec peine, elle s'efforça de se concentrer sur le dîner. Congédiant la servante d'un signe, et soulevant la carafe de vin, il lâcha d'un ton léger :

— Si cela peut te consoler, tu produis le même effet sur moi. Moi aussi, je passe mes journées à songer à nos nuits.

Mortifiée de le voir lire si aisément en elle, elle avala un peu de vin, sentit une onde de chaleur irradier dans son corps.

— Jamal veut aller faire du cheval, demain, dit-elle. Tu viendras avec nous ?

Lui décochant un sourire carnassier, il répliqua :

— Tu es lâche, Emily ! Toutes les nuits, dans mon lit, tu te montres audacieuse et tu implores mes caresses. Mais le jour, on dirait qu'il ne s'agit plus de la même personne : tu rougis, tu regardes le plafond ou le plancher, tu ne poses jamais les yeux sur moi.

— Le jour, je ne te vois guère, souligna-t-elle en conservant un ton léger. Tu travailles.

— Pas en ce moment. Et j'ai envie de connaître ma femme.

— La plupart des gens font connaissance avant de se marier.

150

— Je ne suis pas de cet avis, répliqua-t-il avec son expression cynique. Je crois qu'ils s'imaginent se connaître avant leur mariage ; mais, avec le temps, ils découvrent tout un tas de choses décevantes. Avant un mariage effectif, les gens peuvent faire semblant ; mais la comédie cesse à un moment ou un autre. Nous, nous savions à quoi nous en tenir avant notre union.

Elle déglutit avec difficulté, et reposa son verre.

— Tu crois toujours que j'étais au courant au sujet de Peter. Que je t'ai menti en affirmant que je ne savais rien.

— Cela n'a pas d'importance, assura-t-il avec un haussement d'épaules, d'un air soudain rembruni. Nous avions chacun nos raisons pour nous marier, Emily. Je suis satisfait. Tu es satisfaite. Qu'il ne soit plus question de cela.

Mais elle voulait en parler, elle ! Elle voulait qu'il la croie ! Il avait une vision du monde vraiment trop cynique. Elle l'observa, tentée de prendre sa propre défense et doutant d'aboutir, car il se méfiait trop des femmes pour se laisser convaincre.

— Il n'y a vraiment eu que Danielle ? dit-elle.

— Quoi ? Comment ça, Danielle ?

— C'est uniquement elle qui t'a convaincu que les femmes sont toutes menteuses et manipulatrices ? C'est elle qui t'a rendu cynique à ce point ?

Il émit un ricanement bref.

— Emily, les femmes ont cherché à me mener en bateau dès que j'ai été en âge de marcher. Je suis riche et j'ai du pouvoir, et il se trouve toujours quelqu'un pour vouloir sa part du gâteau.

— Cela te paraît vraiment impossible que quelqu'un t'aime pour toi-même ?

Il haussa les épaules.

— Vu mon rang, je ne me suis jamais attendu à faire un mariage d'amour. Je ne suis même pas certain que l'amour existe.

Elle ravala de son mieux sa déception.

— T-tu n'as j-jamais aimé personne ?

Il hocha négativement la tête, en lâchant de sa voix nonchalante :

— Et apparemment, toi non plus. Sinon, tu n'aurais pas été vierge lorsque je t'ai amenée dans mon lit.

— J'attendais de rencontrer l'homme idéal, avoua-t-elle.

— Et puis tu m'as connu...

« Oui, *tu es* l'homme idéal », aurait-elle voulu lui dire. Mais c'était impossible. Elle baissa les yeux, redoutant qu'il pût lire la vérité dans son regard.

Après ce premier jour, les journées suivantes se déroulèrent plus ou moins de la même manière. Ils se levaient tard, roulaient ou chevauchaient dans le désert, jouaient avec Jamal. Puis ils soupaient, et bavardaient jusque tard dans la nuit. Et puis, ils retrouvaient leur rituel nocturne, dans leur lit.

Pour Emily, c'était une vie de rêve. Quelle importance, si Zak ne l'aimait pas ? Il se montrait exceptionnellement attentionné.

Chaque jour, il lui apportait de menus cadeaux pour la distraire, et c'était un compagnon très agréable, d'une intelligence aiguë, mais aussi amusant et charmeur. Elle adorait être en sa compagnie.

Plus ils passaient de temps ensemble, plus il s'ouvrait à elle. Elle commença à mesurer le poids des lourdes pressions qu'il avait subies dès l'enfance.

Lorsqu'il n'était pas libre de se consacrer à elle, elle faisait du cheval avec Jamal.

— Oncle Zak dit que je peux faire du cheval dans le désert à condition de ne pas aller trop loin. Il va venir nous rejoindre lorsqu'il aura fini de travailler, lui dit un jour l'enfant alors qu'ils partaient, et qu'il talonnait son poney pour le mettre au petit galop.

Emily se hâta de se porter à sa hauteur.

— Tu es très bon cavalier, tu sais, commenta-t-elle.

— C'est oncle Zak qui m'a appris à monter, répondit-il avec fierté. Maman ne voulait pas, elle disait que c'était dangereux. Mais oncle Zak a voulu que j'apprenne.

— On voit que tu as été très bon élève, approuva-t-elle, admirant la tenue en selle du petit et son aisance.

Il lui désigna un point dans le lointain.

— Tu vois, là-bas ? Il y a des grottes. On raconte plein de choses à leur sujet. Il paraît qu'elles sont si profondes que personne n'en a jamais atteint le bout.

— Je croyais que tu avais peur du noir, observa Emily sans pouvoir réprimer un frisson.

— Seulement au palais. Mais j'adorerais aller voir les grottes ! Un jour, j'irai à cheval. Rien que moi tout seul.

— Tant que tu seras sous ma responsabilité, sûrement pas ! décréta Emily, sévère.

L'exploration d'une caverne sombre et profonde ne correspondait guère à sa conception d'une distraction !

Le regard toujours rivé sur l'horizon, Jamal dit d'un air nostalgique :

— Elles ne sont pas bien loin. Et puis, maintenant, je suis grand. Je pourrai te protéger.

— Non, merci ! dit-elle fermement. Tu pourras faire ça avec Zak.

Comme à point nommé, elle perçut le martèlement d'un galop. Zak se dirigeait vers eux, sur Sahara, toujours aussi fougueux et excité par la course.

— Oh, dis, mon oncle, s'écria Jamal, le visage s'éclairant, je peux le monter ?

— Personne d'autre que moi n'a jamais monté Sahara, lui dit gentiment Zak. On verra ça quand tu seras plus grand.

Jamal eut l'air déçu. Puis, se ranimant :

— On peut aller voir les grottes ?

— Pas aujourd'hui, répondit Zak en scrutant le ciel obscurci d'un air soucieux. Il se fait tard, et elles sont trop loin. Ce sera pour une autre fois.

— Mais je veux y aller !

— Tu iras, je te le promets. Mais pas aujourd'hui.

Le visage du garçonnet s'allongea. Talonnant son poney, il le lança au galop dans la direction opposée, tandis que son oncle, poussant un soupir exaspéré, commentait :

— On dirait que je suis voué à répondre « non » à toutes ses requêtes !

— Il réagit comme tous les gamins de son âge, dit-elle en souriant. Il tente le coup.

Zak la regarda, très détendu, tandis qu'il chevauchait Sahara.

— Tu es très gentille avec ce petit.

— Je l'aime, déclara-t-elle avec simplicité. Il est formidable. Chaleureux, amical, débordant d'enthousiasme. Et j'adore être ici.

Elle survola l'horizon du regard, captant les jeux de lumière sur le sable, et elle sourit.

— J'adorais la plage, lorsque j'étais petite. Ici, c'est comme une plage géante, sans la mer.

154

Au lieu de sourire aussi, Zak l'observa d'un air songeur, en fronçant les sourcils. Puis, faisant faire volte-face à son cheval, il s'élança au trot pour rattraper Jamal.

Emily le suivit à une allure moins rapide. Elle se demandait ce qu'elle avait bien pu dire pour provoquer cette expression contrariée.

Ce soir-là, au dîner, elle se surprit à lui livrer des choses qu'elle n'avait jamais confiées à personne d'autre. Elle lui parla de son enfance, de sa solitude d'orpheline ; du déchirement qu'elle avait éprouvé une fois majeure à quitter le seul foyer qu'elle eût jamais connu, celui de Peter et Paloma. Elle avait compris que son frère et sa femme avaient besoin de retrouver leur intimité, et plus de liberté.

Il l'écouta, le regard brillant, tandis qu'elle se livrait avec hésitation. Il finit par l'entraîner vers leur lit, comme de coutume. Mais il sembla plus doux, moins fougueux que d'ordinaire, et elle sentit quelque chose de changé dans sa façon de la caresser, de chercher à la vaincre par la tendresse, cette fois-ci.

Lorsqu'il la ploya sous lui, elle perçut les battements de son cœur.

— Tu ne te sentiras plus jamais seule, *habibati*, murmura-t-il.

Sa déclaration avait presque la fermeté d'un décret, et elle leva les yeux vers lui, touchée de sa compassion, amusée qu'il veuille commander aux choses.

— Je ne me sens pas seule, dit-elle dans un souffle.

Qu'elle le veuille ou non, il était comme une partie intégrante d'elle-même. Elle ferma les yeux, songeant qu'elle devait s'apprêter à souffrir. Car la souffrance était inévitable. Comment aurait-il pu en être autrement, puisqu'il ne l'aimait pas ?

Zak contempla la silhouette endormie d'Emily, et sentit son cœur se serrer. Jamais une femme ne l'avait affecté de cette façon...

« C'est de l'appétit sensuel, rien d'autre », pensa-t-il en enfilant un pantalon. Oui, ce n'était que du sexe, si épanouissante que fût leur relation.

Il gagna l'entrée de la tente pour sortir prendre un peu d'air frais, mais un sentiment obscur le poussa à se retourner et à contempler, une fois encore, la silhouette endormie sur le lit. Comme toujours, les cheveux blonds d'Emily étaient répandus sur l'oreiller, et ses joues étaient rosies par le soleil de la veille.

Il fronça les sourcils, se promettant de lui recommander de porter un chapeau chaque jour. La chaleur du désert pouvait être dangereuse pour ceux qui n'y étaient pas accoutumés.

Elle avait l'air d'une Belle au bois dormant, songea-t-il en se remémorant tout ce qu'il avait appris sur elle au cours des semaines écoulées.

De toute évidence, elle avait eu une enfance très solitaire, et à entendre le récit qu'elle lui en avait fait, il en avait le cœur serré. Elle n'avait pas reçu beaucoup d'affection dans sa vie ; il comprenait mieux qu'elle rêvât de princes et de palais. Comme il avait dû la décevoir ! se dit-il dans un accès d'autodérision.

Elle désirait de la romance, et elle avait eu droit à une proposition d'affaires !

D'affaires...non, on ne pouvait pas dire cela !

Zak se raidit, soudain contraint d'admettre la vérité. Quoi qu'ait pu faire Emily, il était amoureux d'elle.

Et cela lui posait un problème. Car, de toute évidence, elle n'était pas amoureuse de lui. Elle s'était mariée avec lui pour éponger la dette de son frère. Et, même si elle adorait faire l'amour avec lui, cela ne changeait rien au fait qu'elle l'avait épousé sous la contrainte.

Il ravala un gémissement sourd.

Pour la première fois de sa vie, il se découvrait amoureux. Et la femme qu'il aimait avait d'abord voulu s'évader de son palais. L'ironie de la situation ne lui échappait pas...

Cependant, elle était son épouse, se remémora-t-il. Il avait des jours et des nuits pour la convaincre de l'aimer autant qu'il l'aimait.

Il allait s'atteler à cette tâche dès le lendemain !

Le lendemain, alors qu'ils prenaient leur petit déjeuner, il y eut du remue-ménage hors de la tente. Zak redressa la tête en fronçant les sourcils, et Emily éprouva une déception vive. Ce n'était tout de même pas Danielle ?

Depuis leur arrivée à l'oasis, elle s'était attendue à une manifestation déplaisante de cette femme, à des ennuis. Mais, les jours passant, comme Danielle n'avait toujours pas fait d'apparition impromptue, Emily avait fini par se détendre.

Elle fut donc stupéfaite lorsque la toile de la tente se rabattit et qu'elle vit entrer son frère.

— Peter ? murmura-t-elle d'abord, figée d'étonnement.

Puis elle poussa un cri de joie, se leva et s'élança vers lui, bras ouverts.

— Oh, Peter, Peter ! J'étais tellement inquiète à ton sujet !

— Emily…

Sa voix se brisa légèrement, et elle éclata en sanglots, le serrant contre elle. Puis elle s'écarta à moitié et l'examina avec attention.

— Tu as maigri, dit-elle, luttant pour contenir ses larmes. Où étais-tu passé ?

— Emily…, répéta Peter en hochant la tête. Je n'arrive pas à croire que tu étais ici pendant tout ce temps…

— Je n'ai pas arrêté de téléphoner…

— Et je n'étais pas là ! Je te demande humblement pardon.

— Mais où étais-tu ? Et pourquoi ne m'as-tu pas dit que tu partais ? Etais-tu malade ?

Il eut une hésitation et s'éloigna d'elle, l'air tendu.

— Pas exactement.

L'enlaçant par la taille, il se tourna vers Zak, lui décochant un regard farouche.

— Vous l'avez retenue ici !

Immobile, campé sur ses jambes avec son insolente assurance, Zak, qui observait la scène avec son calme imperturbable, lâcha :

— Bien entendu.

Peter fit un pas, poings levés. En un instant, la tente fut envahie de gardes armés qui se saisirent de lui.

— Non ! cria Emily, horrifiée. Zak, libère-le !

Elle tendit une main vers son mari dans un geste suppliant, et celui-ci, d'un seul signe à peine perceptible, congédia sur-le-champ les gardes.

— Zak ? s'exclama Peter d'un air surpris, quand ils se retrouvèrent de nouveau tous les trois seuls sous la tente.

Puis il eut un rire de mépris en direction du prince.

— C'est donc vrai ! Quand je suis arrivé à Kazban, on m'a appris que vous… que vous étiez mariés.

Le beau visage de Zak demeura impénétrable.

— Emily est ma femme, c'est exact.

Poussant un gémissement, Peter enfouit son visage entre ses mains. Puis il se redressa, avec un air de remords, et de reproche.

— Je n'arrive pas à y croire... Je ne peux pas croire que vous ayez fait ça. C'est moi que vous vouliez. Moi qui vous devais de l'argent. Elle n'est pas votre genre de femme, vous ne vous en êtes donc pas rendu compte ? Vous n'avez donc pas vu qu'elle est innocente ? C'est moi que vous vouliez, et vous l'avez pourtant gardée à ma place. Vous l'avez punie pour les fautes que *j'ai* commises !

— Peter, écoute..., intervint Emily, le saisissant par un bras.

— C'est vous qui me l'avez adressée, observa Zak. Vous qui me l'avez donnée.

— Je l'avais envoyée vous délivrer un message ! s'exclama Peter, si agité qu'elle le regarda avec inquiétude.

— Peter, ça n'a pas d'imp...

— Elle a délivré votre message, dit Zak en même temps qu'elle, avec calme, sans quitter des yeux le visage torturé de Peter.

— Et vous n'avez pas voulu la laisser partir.

— Elle était ma garantie.

— Une garantie ! Emily est une jeune fille innocente...

— Pas si innocente que ça, coupa rudement Zak. Vous apprendrez avec satisfaction, j'imagine, qu'elle n'a cessé de vous défendre. Elle n'a pas manifesté plus de conscience morale que vous, en ce qui concerne cette dette.

— Elle m'a défendu parce que je suis sa seule famille, et parce que c'est dans son caractère, siffla Peter. Pas parce qu'elle approuvait la dette. Elle ne savait même pas qu'il y en avait une. Elle pensait que j'avais fait des investissements infructueux. Elle ignorait que j'avais perdu l'argent. Je n'en étais pas très fier, et je n'avais pas envie de m'en ouvrir à quiconque, même pas à ma jeune sœur.

Il y eut un long silence. Zak demeura étonnamment immobile, tandis qu'il se pénétrait de cette information.

— Alors, qu'est-ce qui vous a conduit à l'envoyer ici à votre place ? s'enquit-il avec rudesse. Vous saviez parfaitement que je la retiendrais ici.

Peter eut un grand soupir saccadé.

— J'étais convaincu que vous verriez son innocence. Quiconque connaît Emily n'irait jamais la croire capable de malhonnêteté. Elle rêve de contes de fées et de lendemains qui chantent. Elle s'occupe de petits enfants et elle a hâte d'en avoir toute une ribambelle à elle. Elle n'a jamais rien commis de répréhensible, et elle ignore ce que signifie le mot « corrompu ». J'aurais cru que même un homme comme vous le verriez !

Zak se détourna vers Emily, et une étrange expression courut sur son beau visage.

— Hélas pour vous, j'ai été si rarement confronté à l'innocence que je n'ai pas su la reconnaître le jour ou je l'ai enfin rencontrée, énonça-t-il doucement. Pas avant qu'il soit trop tard.

Son regard restait rivé sur elle, et elle se sentit profondément troublée.

— C'est moi qui avais une dette à votre égard, murmura Peter, accablé.

Emily accourut jusqu'à lui pour le rassurer.

— Zak a effacé la dette, Peter, dit-elle en lui saisissant les mains et en s'inquiétant de les sentir glacées. Tu ne lui dois plus rien.

D'abord interdit, il finit par dire dans un souffle :

160

— Oh, non ! C'est pour cela que tu l'as épousé, n'est-ce pas ? Pour qu'il annule la dette…

— Peter…

— Et tu n'as pas besoin de me dire ce qu'il te réservait, ajouta Peter, jetant un regard de mépris au prince. Laissez-moi vous apprendre une chose au sujet de ma sœur. Je suis sa seule famille, et j'admets que ça n'est pas grand-chose. Elle a passé son existence à rêver d'un mariage d'amour, d'enfants, d'une vie de famille heureuse…

— Peter, je t'en prie…, commença Emily, tentant de l'arrêter.

Mais ce n'était pas elle qu'il regardait, c'était Zak.

— Nous n'avons jamais vraiment parlé de ces choses, bien que je sois son frère. Mais je sais qu'elle n'avait jamais laissé aucun homme la toucher parce qu'elle attendait l'homme idéal. Elle rêvait *d'amour*, Votre Altesse. Et que lui avez-vous donné ?

— Peter, en voilà assez ! coupa Emily, le contraignant à la regarder. C'est moi qui ai choisi d'épouser le prince. Moi. Personne ne m'y a forcée.

— Je sais tout, Emily, dit-il en hochant la tête. J'ai passé suffisamment de temps à Kazban pour apprendre tes tentatives d'évasion. Je sais que tu n'as cessé de me téléphoner, et je regrette de n'avoir pas été là pour toi. Mais je suis ici, maintenant.

Il se tourna vers Zak :

— Et je la ramène avec moi. Je la libère de ce mariage de pacotille.

— Peter… Peter, murmura timidement Emily. C'est ma maison, à présent.

— C'est à cause de l'argent que tu dis ça. Mais ne t'inquiète pas. Si j'ai commis des erreurs, je n'ai pas entièrement perdu

161

la main ! Son argent, intérêts compris, est toujours en ma possession. Alors, il peut te relâcher, à présent.

— Tu as l'argent ? s'étonna Emily, fronçant les sourcils.

Peter eut un curieux petit sourire.

— Tu ne me demandes pas pourquoi j'ai pris huit millions de livres ? dit-il.

Puis, se tournant vers Zak :

— Vous voyez ? Son affection pour moi est si inconditionnelle qu'elle ne prend même pas la peine de m'interroger là-dessus.

— Je suis persuadé du caractère confiant et entier de votre sœur, déclara Zak. Inutile d'insister là-dessus.

— Vous allez lui accorder le divorce, alors.

Zak regarda Emily, mâchoires serrées.

— Si c'est là son désir.

Elle sentit sa gorge se serrer. Elle ne voulait pas d'un divorce ! Mais comment aurait-elle pu le dire à Peter sans révéler l'étendue de ses sentiments pour Zak ? Il ne voudrait pas entendre parler de son amour pour lui. Il considérait qu'ils avaient passé un contrat d'affaires, et s'il fallait reconduire cette supercherie pour rester avec lui, eh bien, elle ne demandait pas mieux que de continuer ainsi !

Zak ne pouvait pas divorcer, raisonna-t-elle. Il avait besoin d'elle pour tenir Danielle à distance. Il lui fallait une épouse.

Décidant de tout avouer à Peter lorsqu'ils seraient seuls, elle détourna la conversation :

— Eh bien, pourquoi te fallait-il cet argent, Peter ? Et où est Paloma ?

— Elle est à l'hôpital, dit-il, tendu et circonspect. Elle y est entrée le jour où tu as pris l'avion pour Kazban.

— A l'hôpital ? s'exclama Emily. Mais que lui arrive-t-il ?

— Elle a une sorte de dépression, admit Peter. Et à cause de ça, elle a dépensé beaucoup d'argent. De très grosses sommes. Elle a commis aussi des vols dans des boutiques.

Emily le dévisagea d'un air ébahi. C'était Paloma qui avait dépensé tout cet argent ?

— Elle a contracté d'énormes dettes à mon insu, expliqua Peter. Le jour où je t'ai conduite à l'aéroport, elle a été arrêtée pour vol à l'étalage. J'ai dû aller la chercher au poste, et la faire libérer sous caution. Je devais être là pour elle, je n'aurais pas pu me rendre à Kazban.

— Cela va de soi ! s'exclama Emily, rongée d'inquiétude. Que s'est-il passé ?

— Son arrestation a été le coup de grâce, soupira Peter. Elle a fait une dépression et on l'a admise à l'hôpital. Elle y est encore, et j'étais auprès d'elle. Jour et nuit. Quand elle dormait, je misais en bourse.

Il se tourna vers Zak.

— Avec d'excellents résultats. L'argent est de nouveau sur votre compte. Je m'excuse de l'avoir utilisé à ces fins, mais j'étais aux abois.

Emily, qui n'avait cessé de le fixer du regard, s'enquit :

— Et Paloma ? Va-t-elle mieux ?

— Les médecins pensent que oui, lâcha Peter en haussant les épaules. Mais ce sera long. Il faut que je retourne auprès d'elle. Et je veux ramener ma sœur avec moi, acheva-t-il à l'intention de Zak.

— Non, Peter !

Emily ne put aller plus loin. Un groupe d'hommes venait d'entrer après avoir écarté la toile de la tente, et chacun d'eux s'inclina profondément devant le prince. Elle ne comprit rien à ce qu'ils dirent ensuite. Mais, à en juger par leurs gestes et l'air sombre de Zak, il devait s'agir d'une affaire sérieuse !

Zak finit par prendre la parole calmement, ce qui offrit un contraste saisissant avec l'agitation qui l'entourait.

— On dirait que c'est le jour des affaires de famille. Danielle a quitté le palais et est partie en France avec un homme qu'elle a rencontré là-bas, expliqua-t-il.

Emily eut un haut-le-corps.

— Mais, Jamal ?

Les mâchoires de Zak se crispèrent.

— Elle a préféré sa nouvelle vie à son enfant. Il faut bien sûr que je rentre. Il y a du scandale dans l'air, et je veux épargner mon père. Toute cette agitation ne lui fait aucun bien.

Danielle était partie ? Cela signifiait donc… Emily se sentit gagnée par la panique. Zak l'avait épousée pour éviter les manigances de Danielle. Si celle-ci était partie, elle ne pouvait plus lui nuire. Et il n'avait donc plus aucune raison de rester marié.

— Zak…, murmura-t-elle, tendant la main vers lui pour quêter un entretien en privé.

Mais il s'était déjà détourné, et se dirigeait vers le seuil. Il lança par-dessus son épaule :

— Je prendrai des dispositions pour qu'on te ramène à Kazban, puis en Angleterre.

Déjà, il avait quitté la tente. Il n'était plus là.

Saisie d'un intense désarroi, Emily s'écria :

— Zak !

Lorsqu'elle fit mine de s'élancer à sa suite, Peter la retint par un bras, lui disant d'un air immensément soulagé :

— Tu as entendu ? Il te laisse rentrer en Angleterre !

164

— Mais je ne veux pas retourner là-bas, murmura-t-elle, anéantie, en se libérant de son emprise. J'aime Zak, et je veux rester mariée avec lui.

— Tu l'aimes ? fit Peter, ébahi. Mais, il t'a contrainte…

— Je l'ai épousé parce que je l'aimais, rectifia-t-elle avec simplicité. Je sais qu'il ne m'aime pas, mais cela m'était égal. Cela m'est toujours égal, d'ailleurs.

— Je ne sais pas quoi te dire, murmura Peter.

— Il n'y a rien à dire, dit-elle avec un pauvre sourire. Il avait ses raisons pour m'épouser. Mais maintenant, ces motifs ont disparu, et il n'est que trop heureux de m'accorder le divorce.

— Je suis navré…

— Tu n'y es pour rien. Même si tu n'étais pas arrivé, Danielle serait partie, et il n'aurait plus eu besoin de moi.

— Je n'y comprends rien, marmonna Peter. Va-tu rentrer avec moi, ou non ?

— Peut-être, dit Emily, s'efforçant péniblement de se ressaisir. Mais je ne peux pas te suivre pour le moment. Jamal a besoin de moi, puisque Zak est à Kazban… Rentre à la maison, Peter. Je te rejoindrai lorsque tout sera réglé ici.

11.

— Emily ? On peut aller faire une balade à cheval dans le désert, ce matin ? lança Jamal, sautillant sur le lit.

Emily se força à ouvrir les yeux. Elle était sans nouvelles de Zak, et avait à peine dormi depuis trois jours. De toute évidence, il ne comptait pas revenir, songeait-elle, de plus en plus malheureuse. Il avait supposé, il avait même sans doute espéré, qu'elle rentrerait avec son frère. Leur « arrangement » était terminé.

S'efforçant de refouler sa tristesse, elle sourit au garçonnet.

— Oui, bien sûr, on va se promener. Je vais me préparer.

La chevauchée lui ferait oublier ses problèmes, fût-ce passagèrement. Elle savait que quelqu'un ne tarderait pas à venir chercher Jamal pour le ramener au palais, et qu'elle n'aurait plus alors aucune raison de s'attarder dans l'oasis. Mais, d'ici là, elle profiterait de son séjour autant qu'elle le pourrait.

Ces lieux lui faisaient tant penser à Zak ! C'était pour elle un moyen de compenser son absence et d'avoir le temps de se faire à l'idée que tout ceci n'avait été qu'un rêve, que pendant quelques semaines, elle avait été princesse, mais que, telle Cendrillon, elle n'allait pas tarder à retrouver la triste réalité de sa vie d'antan.

Avant Zak.

Et surtout avant l'amour.

S'étant habillée sans tarder, elle mena le petit garçon jusqu'à l'écurie.

— Est-ce qu'on peut aller aux grottes ? lui demanda-t-il.

— C'est une balade que tu feras avec Zak. Je ne connais pas le chemin, ça pourrait être dangereux.

— Mais il est tôt. Zak a dit qu'on pouvait y aller si on partait tôt.

— C'était quand il était avec nous, souligna Emily. Je ne sais pas comment on va là-bas.

— Mais on les voit de loin, l'implora Jamal.

Elle s'inclina pour le serrer dans ses bras, en disant :

— Zak t'y emmènera, il te l'a promis. Nous ferons une balade dans les environs, tous les deux.

Le petit garçon se rembrunit, et elle cherchait comment lui remonter le moral lorsque l'un des serviteurs se hâta vers elle, lui tendant un téléphone portable.

— Un appel pour vous, Votre Altesse...

— Zak...

Le cœur battant d'excitation, elle prit l'appareil qu'on lui tendait et rentra dans la tente, quêtant un refuge où lui parler en toute intimité. Après tout, ils ne s'étaient pas entretenus depuis l'arrivée inattendue de Peter, voici trois jours.

— Zak ?

— C'est Peter.

— Oh, dit-elle, profondément déçue. Es-tu bien arrivé ?

— Oui, et je voulais m'assurer que tu vas bien. Quand rentres-tu ?

— Bientôt, dit-elle évasivement, refusant d'affronter la fin de son mariage.

Il était pourtant clair que Zak ne reviendrait pas, et qu'il enverrait chercher Jamal. Elle n'aurait plus alors aucune raison de rester. Elle s'efforça de ne pas y songer, et s'enquit de la santé de Paloma, s'assurant que celle-ci était bien sur la voie de la guérison. Et puis il fut question de leurs projets d'avenir.

Lorsqu'elle raccrocha, près d'une demi-heure s'était écoulée. Réalisant que Jamal l'attendait pour sa promenade, et envahie d'un sentiment de culpabilité, elle se hâta de rejoindre l'endroit où elle l'avait laissé, en s'attendant à le voir trépigner d'impatience.

Il n'était plus là.

— Jamal ? appela-t-elle, arpentant les allées cavalières qui, à travers champs, menaient à l'écurie. Jamal !

En arrivant dans la cour de l'écurie, elle vit que les lads étaient réunis et discutaient avec excitation. Réprimant un gémissement, elle se demanda quel tour de pendard le petit garçon leur avait encore joué.

— Où est Jamal ? demanda-t-elle au plus proche serviteur.

Il gesticula en direction du désert.

— Parti. Il est parti.

— Comment ça, parti ? s'exclama Emily, sentant son sang se glacer

— Il est parti dans le désert, Votre Altesse. Vers les grottes.

— Et vous l'avez laissé faire ?

— Il nous en a donné l'ordre, Votre Altesse. C'est un prince royal. Nous ne pouvions pas l'en empêcher.

— Un prince de cinq ans ! siffla-t-elle, toisant l'équipe. Pourquoi aucun d'entre vous ne l'a-t-il accompagné ?

168

Ils se dévisagèrent avec nervosité, puis l'un d'entre eux se décida à dire en désignant le ciel :

— Très mauvaise tempête arriver, Votre Altesse.

Elle leva les yeux et frémit d'anxiété en voyant la couleur plombée du ciel. Le souffle du vent avait quelque chose de râpeux, les palmiers oscillaient avec force, et on distinguait un nuage de sable encore inconsistant, au-dessus des dunes.

Elle n'avait jamais fait l'expérience d'une tempête de sable dans le désert, mais Jamal lui en avait souvent parlé.

— Il faut que j'aille le chercher. Sellez-moi un cheval tout de suite.

Il y eut un silence tendu, puis ils secouèrent négativement la tête.

— C'est trop dangereux. La tempête est à moins d'une heure, vous ne le rattraperez jamais à temps. Nous devons espérer qu'il a atteint les grottes et trouvé un abri. Après la tempête, nous irons le chercher.

— Après, il sera trop tard ! s'exclama-t-elle avec colère.

Elle prit de profondes inspirations, cherchant à déterminer le meilleur moyen d'agir. Des hennissements brefs et des piétinements provenant d'une stalle lui firent dresser la tête. *Sahara*, pensa-t-elle.

Sans communiquer son intention à quiconque, elle traversa la cour au pas de course, se saisit d'une selle et d'une bride, et se hâta de gagner le box de l'étalon.

— O.K., très bien, je sais que tu n'acceptes personne sauf Zak, dit-elle avec douceur, en ouvrant sans bruit la porte de la stalle. Mais il y a urgence.

Il la huma d'un air soupçonneux, reniflant d'un air mécontent à la vue de la bride.

— Je sais, je sais, lui murmura Emily, caressant son encolure lustrée. Je sais que tu ne veux pas que je te monte.

Mais tu es mon seul espoir. Il faut que j'aie le cheval le plus rapide du monde, et tout le monde dit que c'est toi le plus rapide et le plus courageux.

Sans cesser de le flatter de la voix, elle le sella et ajusta la bride. Puis elle le mena dans la cour. Les serviteurs la regardèrent dans un silence horrifié, sans parvenir à faire un mouvement.

Enfin, l'un d'eux fit un pas en avant.

— Vous ne pouvez pas monter ce cheval, Votre Altesse...

— Il le faut, dit-elle en maintenant fermement Sahara, qui piaffait sur place. C'est ma seule chance d'atteindre Jamal avant la tempête. Donnez-moi un coup de main pour me mettre en selle.

Le cheval avait une taille si impressionnante qu'elle n'aurait jamais pu se hisser seule en selle. Mais personne ne l'y aida. Chacun la dévisageait, pétrifié devant son inconséquence.

— Personne n'a jamais monté Sahara, sauf le Prince, marmonna enfin quelqu'un.

— Eh bien, il est temps que ça change ! Quelqu'un va-t-il m'aider, oui ou non ?

— Moi, je vous aiderai.

Surgi d'on ne savait où, Sharif venait de paraître et se hâtait vers elle, les traits tendus par l'angoisse.

— Je viens d'entendre ce qui se passe, continua-t-il. Ils se sont tous très mal conduits, ils auraient dû partir à la recherche de l'enfant en dépit de leur peur. Le prince sera furieux.

— Ne vous souciez pas de cela pour l'instant. Pouvez-vous m'aider à enfourcher ce cheval, Sharif ?

Il croisa aussitôt les mains pour lui fournir un appui, et la souleva vers la croupe d'un mouvement puissant. Sahara

170

hennit, bougea vigoureusement de la tête, mais Emily, souplement en selle, ne se laissa pas impressionner et tint fermement les rênes.

— Tout ira bien, tu verras, murmura-t-elle d'une voix apaisante, en le caressant. Nous allons trouver Jamal ensemble.

— J'informerai le prince, lui dit précipitamment Sharif, levant vers elle un regard inquiet. Bonne chance et…

Sans même attendre la fin de sa phrase, Emily lança Sahara au galop, prenant la direction des grottes.

— Elle est partie dans le désert ? En pleine tempête ?

Incrédule et anxieux, Zak sauta à bas de l'hélicoptère qui venait de le déposer à l'oasis, et gagna l'écurie avec Sharif.

— Elle a pris Sahara, Votre Altesse.

Zak s'immobilisa tout net, la peur au ventre.

— Elle a pris l'étalon ? dit-il d'une voix rauque d'angoisse.

Et Sharif inclina la tête.

— Oui, elle croyait que c'était sa seule chance de rattraper l'enfant.

Zak ferma brièvement les paupières, anéanti. Il avait eu plusieurs jours pour s'accoutumer à l'idée qu'Emily était tout le contraire de ce qu'il avait connu jusque-là chez une femme : loin d'être égoïste, elle était désintéressée ; loin d'être froide, elle était chaleureuse ; et elle donnait au lieu de prendre.

Maintenant, elle risquait sa vie une deuxième fois pour tenter de sauver son jeune et impétueux neveu. Ne l'avait-il donc trouvée que pour la perdre ?

— Très bien. Je reprends l'hélicoptère.

— Mais, Votre Altesse, s'effara Sharif, vous ne…

— Elle a le cheval le plus rapide de mon haras, coupa Zak, lugubre, en revenant vers l'appareil posé derrière l'écurie. Jamais je ne la rattraperai avec le 4x4.

— Mais le vent se lève ! Le risque est énorme…

— Je connais les risques, Sharif, coupa-t-il, renvoyant les gardes d'un claquement de doigts. C'est pourquoi je piloterai moi-même.

Zak se tourna vers son fidèle conseiller — qui était pour lui presque un père — et ajouta d'une voix rauque d'angoisse :

— Il est question de mon neveu, Sharif, et de la femme que j'aime.

— Qu'il en soit ainsi, alors, dit Sharif, avec une brusque lueur dans le regard. Dépêchez-vous. La tempête vient vite.

Les yeux plissés pour se protéger du vent, Emily se cramponnait à la crinière de Sahara tandis que l'étalon galopait à travers le désert, en direction des grottes. Devant elle, elle voyait s'obscurcir le ciel et sentait que le temps pressait. Et toujours pas de Jamal en vue !

Elle ne voyait que du sable. Des dunes et des dunes, écrasées par un ciel noir comme la poix, qui lui donnait le frisson. Au beau milieu du jour, on se serait cru en pleine nuit.

Maintenant, elle voyait les grottes. Jamal les avait-il atteintes ?

Soudain, Sahara s'arrêta pile, se cabrant sur ses membres postérieurs, hennissant de peur et de surprise. Prise au dépourvu, Emily dégringola et atterrit dans le sable.

— Emily ?

Une voix tremblante s'éleva non loin d'elle, et elle se redressa, découvrant Jamal roulé en boule.

— Oh, mon petit cœur ! s'écria-t-elle, en le serrant contre elle avec soulagement.

Puis elle se remit debout. Il n'y avait pas de temps à perdre.

— Il faut qu'on parte d'ici.

— Emily, le poney est parti. Il a trébuché et je suis tombé.

— Oublie ça, dit-elle en le remettant debout et en regardant frénétiquement autour d'elle. Il faut que nous allions dans les grottes. La tempête arrive, Jamal.

Déjà, le sable s'élevait autour d'eux en tourbillonnant, et elle scruta les environs. Jamais ils n'atteindraient les grottes, c'était trop loin !

— Sahara ! cria-t-elle pour faire venir l'étalon.

Mais il émit un hennissement sauvage et s'éloigna, effrayé et excité à la fois par la tempête imminente.

— Pardon, Emily, sanglota Jamal en se serrant contre elle.

La gorge serrée, elle l'étreignit très fort en murmurant :

— Ne t'inquiète pas, on va s'en sortir...

Mais son cœur battait à se rompre, et ses paumes étaient moites sous l'effet de la peur. Ils ne pouvaient rejoindre les grottes sans cheval et Sahara, vraiment effrayé, ne se laisserait pas approcher !

C'est alors qu'elle perçut le bruit saccadé qui trouait le ciel. Elevant une main en visière, elle vit avec un intense soulagement un hélicoptère noir qui se posait sur le sable, tel un insecte gigantesque.

— C'est mon oncle ! s'écria Jamal.

Se faufilant hors de ses bras, il s'élança vers l'athlétique silhouette qui descendait de l'appareil, mettant pied à terre.

Zak eut rejoint Emily en quelques secondes, la saisissant par les épaules pour l'aider à garder son équilibre. Il paraissait incroyablement tendu, et elle s'avisa qu'elle le voyait près de perdre son sang-froid pour la première fois depuis qu'elle le connaissait.

— Où est Sahara ? lui demanda-t-il rudement.

— Il est parti, dit-elle en élevant le ton pour se faire entendre par-dessus le vent. La tempête lui a fait peur.

Zak lâcha une imprécation sourde, puis, portant ses doigts à ses lèvres, émit un sifflement bref. Le sifflement qu'il avait produit le soir où il l'avait sauvée dans le souk. Presque aussitôt, le puissant animal les rejoignit au galop, et Emily regarda Zak avec étonnement.

— Monte, dit-il.

Il la hissa en selle, installa Jamal devant elle puis monta à son tour sur la croupe, les enlaçant de ses bras protecteurs. Alors, il mit l'étalon au galop, dans le sable et la poussière, vers l'abri protecteur des cavernes.

Comment Sahara pouvait-il aller aussi vite en dépit de sa lourde charge ? Emily n'aurait su le dire. Quoi qu'il en soit, ils parvinrent à l'entrée d'une grotte et aussitôt, Zak sauta au sol, puis donna une claque sur la croupe de l'étalon, pour qu'il s'engage plus avant dans la caverne.

Emily n'avait pas la moindre idée de son intention, mais il savait ce qu'il faisait, alors qu'elle n'aurait su quelle ligne de conduite adopter.

Sahara s'enfonça dans la caverne qui devenait de plus en plus sombre. Elle le mit à l'arrêt, guettant un son qui lui indiquerait l'arrivée de Zak. D'abord, elle ne perçut rien, en dehors du hurlement du vent et de l'étrange musique de l'eau qui suintait goutte à goutte dans la grotte. Puis elle entendit un bruit de sabots.

— Il a retrouvé mon poney ! s'écria Jamal, ravi, en descendant de cheval.

C'était exact. Zak remit les rênes du poney à Jamal. Puis il saisit Emily et la déposa à terre en douceur. Elle se laissa aller contre lui, en proie à un intense soulagement.

— Je n'arrive pas à croire que tu aies eu l'audace de prendre l'hélicoptère par ce temps !

— Et je n'arrive pas à croire que tu aies eu l'audace de monter Sahara par ce temps, riposta-t-il en écho.

— Tu es fâché que j'aie pris ton précieux étalon, mais...

— Non, ce n'est pas à cause du risque encouru par Sahara. C'est à cause de celui que tu as couru, *azîz*.

Etait-il possible qu'il se soit fait du souci à son sujet ?

— Il le fallait bien, dit-elle. Il fallait que je trouve Jamal, et je ne voyais pas d'autre moyen.

— Et je t'en serai éternellement reconnaissant, car s'il lui était arrivé quelque chose...

— Il n'a rien, murmura-t-elle, effleurant son visage avec des doigts tremblants. Grâce à toi. Si tu n'étais pas arrivé...

— Mieux vaut ne pas penser à ça, dit-il, la regardant puis regardant son neveu, qui cajolait son poney. Nous devons pénétrer plus avant dans la grotte.

— C'est très sombre, murmura-t-elle avec une appréhension soudaine.

Soudain, une lueur amusée éclaira son regard.

— Est-ce bien la femme qui a dévalé la façade de mon palais et monté mon étalon en pleine tempête qui me parle ? Aurais-tu peur du noir ?

— Eh bien, oui ! reconnut-elle d'une toute petite voix.

Il la serra contre lui, en disant d'une voix rauque :

— Je ne permettrai jamais qu'on te fasse du mal, ou que tu sois blessée. Crois-moi, Emily. Tu es à moi, et je te protégerai coûte que coûte, fût-ce au péril de ma vie.

Elle eut un élan d'excitation et d'espoir, puis se remémora qu'il lui disait cela parce qu'il lui était reconnaissant d'avoir sauvé Jamal.

Ils pénétrèrent plus profondément dans la caverne, jusqu'à ce que Zak décide qu'ils pouvaient s'arrêter et prendre un peu de repos.

— J'ai de l'eau, dit-il, et le sable ne pénétrera pas aussi loin.

Il tira de son sac à dos des boissons et des couvertures. Il enveloppa son neveu dans l'une d'elles et bientôt, avec cette incroyable faculté qu'ont les enfants de récupérer, le petit fut profondément endormi.

Zak fit briller une torche.

— Nous allons attendre ici la fin de la tempête. On viendra à notre secours.

— Est-ce bien sûr ? s'inquiéta-t-elle. Personne n'a voulu m'aider à sauver Jamal.

Il serra les mâchoires.

— Et ils seront sévèrement punis pour cela, décréta-t-il. S'il vous était arrivé quelque chose, à toi ou au petit…

— Comment as-tu su où je me trouvais ?

— Sharif m'a prévenu d'une urgence. J'étais avec mon père. Dès que j'ai su qu'il y avait un problème ici, j'ai pris l'hélicoptère pour revenir à l'oasis, où il m'a appris ce qui s'était produit.

Il poussa un long soupir, et avoua :

— J'ai vraiment connu la peur pour la deuxième fois de ma vie.

176

— La deuxième fois ? Et la première fois, c'était quand ?

— Lorsque j'ai cru que tu te ferais piétiner par Sahara, admit-il, presque honteux.

— Je comprends que tu sois inquiet pour ton neveu...

— Pas seulement pour mon neveu, murmura-t-il, lui effleurant le visage avec douceur. Je pensais que tu serais partie avec Peter.

Elle sentit son pouls battre plus vite. Il s'exprimait d'une voix intime, tendre, rien que pour elle. Et elle se sentait fondre de tendresse pour cet homme orgueilleux qui lui avouait pour la première fois qu'elle comptait vraiment pour lui.

— Tu étais parti brusquement, et je ne voulais pas que Jamal reste seul, expliqua-t-elle. Surtout s'il risquait d'y avoir un scandale à propos de sa mère... En fait, s'il s'est fourré dans cette situation, c'est ma faute, Zak. J'étais au téléphone et...

— Et c'est un petit chenapan, coupa-t-il. Entouré d'une nuée de serviteurs qui n'ont pas été fichus de veiller sur lui. Contrairement à toi...

— Je l'aime.

— Je sais. Et je te dois des excuses pour la façon dont je t'ai traitée, *azîz*. Tu n'as cessé de clamer ton innocence et j'ai refusé de te croire. J'en ai honte. Je t'ai très mal traitée, et pourtant, tu es restée pour veiller sur Jamal, bien que ton frère se soit acquitté de sa dette.

— Connaissant ta belle-sœur, je ne peux guère te reprocher ton cynisme, murmura-t-elle, touchée par sa contrition.

Il eut un regard dur.

— Mon amour pour elle est mort lorsqu'elle a épousé mon frère. J'ai vite compris que j'avais failli commettre une énorme erreur. Malheureusement, mon frère n'a pas eu cette chance. Elle lui a déchiré le cœur avec ses manigances, sa déloyauté, ses constantes demandes d'argent. Elle est directement responsable de sa mort prématurée.

Réalisant qu'il se confiait à elle pour la première fois comme un mari se confie à sa femme, Emily se blottit plus étroitement contre lui, en demandant :

— Que s'est-il passé ?

— Rachid était déchiré entre les exigences de son peuple et celles de sa femme. Lors d'un accès de colère de Danielle, il l'a suivie dans le désert, pendant une violente tempête. Son véhicule s'est retourné et il a été tué.

Elle émit un murmure apitoyé, n'osant imaginer ce que Zak avait pu ressentir.

— Après l'enterrement de mon frère, continua-t-il, elle a de nouveau jeté son dévolu sur moi. Elle a sangloté éperdument, en me disant qu'elle s'était trompée en épousant Rachid, et proclamé que j'étais son seul et unique amour.

Il marqua un temps d'arrêt, laissant errer sur ses lèvres un sourire cynique.

— Mais ce n'est pas de l'amour ! Elle ne vous aimait ni l'un ni l'autre ! explosa Emily, horrifiée par son récit. Elle ne pense qu'à elle. C'est horrible de s'immiscer entre deux frères. Je suis surprise que tu l'aies accueillie dans ton palais après une telle fourberie.

— Si elle est restée dans la famille, c'est uniquement à cause de Jamal. Et mon père a toujours plus ou moins espéré que je l'épouserais. Il considérait que j'étais le seul capable de l'amener à tempérer sa conduite.

— C'est pourquoi tu étais si pressé de te marier avec moi…

Zak l'examina d'un air étrange.

— C'est ce que j'ai cru sur le coup, oui.

— Mais maintenant, elle est partie…

178

— Certes, dit-il avec une visible satisfaction. Et mon père a résolu qu'il était préférable de l'autoriser à vivre loin de Kazban.

— Mais et Jamal ?

— Danielle n'a jamais été une mère pour lui, dit-il, mâchoires crispées. Son dernier geste, en quittant Kazban, a été de m'accorder le droit d'adopter le petit.

Emily fut comme assommée par cette déclaration.

— Alors, elle ne te harcèlera plus, murmura-t-elle enfin.

— Sans doute pas.

— Je peux rentrer chez moi, alors, lâcha-t-elle, soudain déprimée au plus haut point.

— Ma foi, énonça-t-il avec une curieuse intonation, j'ai bien peur que non.

— Comment ça, non ? Tu refuses toujours de me libérer ?

— C'est exact, lâcha-t-il d'une voix veloutée. Le prince compte te tenir enfermée dans son palais encore quelque temps.

— Combien ? s'enquit-elle d'une voix rauque, soudain consciente que leurs doigts s'étaient mêlés, insensiblement, au cours de cet entretien.

— Une bonne centaine d'années.

Un silence tendu suivit ces paroles. Elle tenta d'assimiler ce qu'il venait de dire, puis souffla :

— P-pardon ?

— Je t'aime, Emily, déclara-t-il tendrement en l'attirant sur ses genoux. Et personne ne pourra jamais te tirer de mon donjon. Je te garde ici, et je te donnerai tous les enfants que tu désires !

Stupéfaite, elle objecta :

— Mais tu ne crois pas à l'amour ! Tu considères que le mariage est un contrat et que les enfants vont avec...

— Inutile de me rappeler ce que j'ai dit, murmura-t-il.

Et il prit sa bouche. Il l'embrassa à lui ôter le souffle. Finalement il détacha ses lèvres des siennes et redressa la tête à regret.

— Je me suis comporté comme un salaud insensible, et je t'ai fait du mal. Je sais que tu rêves d'une famille, et je veux te la donner, *azîz*. A dater de cet instant, j'agirai comme un prince est censé le faire.

— Je n'arrive pas à croire que tu m'aimes, chuchota-t-elle avec un petit rire incertain.

— Il m'a fallu un certain temps pour m'en rendre compte, moi aussi, avoua-t-il.

— Quand es-tu tombé amoureux de moi ? s'enquit-elle.

C'était SON conte de fées, elle ne voulait pas en perdre une miette !

— Ça a commencé lorsque tu t'es évadée de mon palais, dit-il, lui effleurant la joue. C'était une première. Aucune femme n'avait jamais cherché à me fuir ! J'ai supposé que c'était un moyen alambiqué pour attirer mon attention. Tu as fichu un sacré coup à mon ego, tu sais !

— Je voulais seulement rejoindre Peter...

— Je le comprends maintenant, mais alors, ce n'était pas le cas, commenta Zak avec un rire bref. Ta loyauté envers lui t'honore, *azîz*. Il est bien heureux de t'avoir pour sœur ! Tu lui manqueras, j'en suis certaine. Mais il pourra te rendre visite souvent.

Emily était si heureuse qu'elle se permit de le taquiner :

— Et si je veux le divorce ?

— Tu n'en veux nullement, affirma-t-il dans un haussement d'épaules.

Elle feignit d'être scandalisée de son arrogance de mâle.

— Qu'en sais-tu ? Nous n'avons pas parlé de mes sentiments.

— C'est inutile. Ils se lisent sur ton merveilleux visage, lui répliqua-t-il en l'enlaçant plus étroitement. Tu es la femme la plus simple, la plus facile à comprendre que j'aie jamais rencontrée. J'ai, hélas ! mis un certain temps à m'en rendre compte, mais maintenant que je l'ai réalisé, je sais que tu m'aimes.

— Comment ?

— Tu étais si réceptive, cette nuit-là, dans l'oasis... Tu n'aurais jamais réagi ainsi si tu n'avais pas eu de l'amour pour moi, déclara-t-il avec une satisfaction toute masculine. Tu aimes ton frère. Mais tu tenais trop à avoir un foyer et une famille pour accepter un mariage dont tu ne voulais pas. Je le vois clairement, à présent.

Elle sourit, incapable de nier ce qui, après tout, n'était que l'expression de la vérité !

— Etes-vous toujours si perspicace, Votre Altesse ? lança-t-elle, taquine.

Zak ne put réprimer un gémissement.

— Avec toi, j'ai singulièrement manqué de finesse ! Mais cela ne se produira plus. En arrivant au palais, et en découvrant que Danielle était bel et bien partie, je n'avais qu'une idée en tête : ton frère avait remboursé sa dette et tu n'avais plus aucune raison de rester avec moi !

— Mais, tu as dit que tu étais conscient de mon amour...

— Je l'ai compris uniquement lorsque Sharif m'a annoncé ton départ dans le désert. Jamais je n'ai traversé un moment aussi terrible. J'ai aussitôt pris l'hélicoptère, et je me suis juré que, si je te retrouvais saine et sauve, plus jamais je ne te laisserais partir.

— Que va-t-il se passer maintenant, alors ?

— Je vais confier à mes gardes les plus fidèles le soin de veiller sur toi, afin de pouvoir assumer mes responsabilités sans avoir à m'inquiéter de ta sauvegarde. Le prince est tout à toi, *azîz*, avec son palais. Et ton conte se termine bien.

Là-dessus, Zak enlaça Emily et lui donna un baiser passionné, qui ne laissait aucun doute sur les promesses de leur avenir.

Chère lectrice,

Vous nous êtes fidèle depuis longtemps?
Vous venez de faire notre connaissance?

C'est pour votre plaisir que nous avons
imaginé un rendez-vous chaque mois
avec vos auteurs préférés, vos
AUTEURS VEDETTE dans les
collections Azur et Horizon.

Les AUTEURS VEDETTE vous
donneront rendez-vous pour de
nouveaux livres vedette.

Pour les reconnaître, cherchez
l'étoile... Elle vous guidera!

Éditions Harlequin

HARLEQUIN

LE FORUM DES LECTEURS ET LECTRICES

CHERS(ES) LECTEURS ET LECTRICES,

VOUS NOUS ETES FIDÈLES DEPUIS LONGTEMPS?

VOUS VENEZ DE FAIRE NOTRE CONNAISSANCE?

SI VOUS AVEZ DES COMMENTAIRES, DES CRITIQUES À
FORMULER, DES SUGGESTIONS À OFFRIR, N'HÉSITEZ
PAS… ÉCRIVEZ-NOUS À:
      LES ENTERPRISES HARLEQUIN LTÉE.
      498 RUE ODILE
      FABREVILLE, LAVAL, QUÉBEC.
      H7R 5X1

C'EST AVEC VOS PRÉCIEUX COMMENTAIRES QUE NOUS
ALLONS POUVOIR MIEUX VOUS SERVIR.

DE PLUS, SI VOUS DÉSIREZ RECEVOIR UNE OU
PLUSIEURS DE VOS SÉRIES HARLEQUIN PRÉFÉRÉE(S)
À VOTRE DOMICILE, NE TARDEZ PAS À CONTACTER LE
SERVICE D'ABONNEMENT; EN APPELANT AU
(514) 875-4444 (RÉGION DE MONTRÉAL) OU 1-800-667-4444
(EXTÉRIEUR DE MONTRÉAL) OU TÉLÉCOPIEUR
(514) 523-4444 OU COURRIER ELECTRONIQUE:
AQCOURRIER@ABONNEMENT.QC.CA OU EN ÉCRIVANT À:
      ABONNEMENT QUÉBEC
      525 RUE LOUIS-PASTEUR
      BOUCHERVILLE, QUÉBEC
      J4B 8E7

MERCI, À L'AVANCE, DE VOTRE COOPÉRATION.

BONNE LECTURE.

HARLEQUIN.

VOTRE PASSEPORT POUR LE MONDE DE L'AMOUR.

ROUGE PASSION

De fiévreuses histoires d'amour sensuelles!

De provocantes histoires d'amour passionnées et romantiques qu'on lit d'une seule traite. Aventureuses, parfois humoristiques, et sensuelles, elles mettent en vedette des hommes et des femmes d'aujourd'hui.

ROUGE PASSION...
trois nouveaux titres chaque mois.

GEN-RP-R

<u>COLLECTION HORIZON</u>

Des histoires d'amour romantiques qui vous mènent au bout du monde!

Découvrez la passion et les vives émotions qu'apportent à la Collection Horizon des auteurs de renommée internationale!

Captivantes, voire irrésistibles, ces histoires d'amour vous iront assurément droit au coeur.

Surveillez nos trois nouveaux titres chaque mois!

69 L'ASTROLOGIE EN DIRECT
TOUT AU LONG
DE L'ANNÉE.

(France métropolitaine uniquement)
Par téléphone 08.92.68.41.01
0,34 € la minute (Serveur SCESI).

Composé et édité par les
éditions Harlequin
Achevé d'imprimer en août 2005

BUSSIÈRE
GROUPE CPI

à Saint-Amand-Montrond (Cher)
Dépôt légal : septembre 2005
N° d'imprimeur : 51886 — N° d'éditeur : 11519

Imprimé en France